구 원 자

구원자

지은이 증한

발 행 2024년 04월 16일
펴낸이 한건희
펴낸곳 주식회사 부크크
출판사등록 2014.07.15.(제2014-16호)
주 소 서울특별시 금천구 가산디지털1로 119 SK트윈타워 A동 305호
전 화 1670-8316
이메일 info@bookk.co.kr

ISBN 979-11-410-8119-5

구
원
자

증
한

차례

구원자

1.

　옷깃을 정리하곤 가방을 다시 똑바로 멨다. 나는 현재 졸업했어야 할 고등학교 앞에 서 있다.

　반에 들어와 지정된 자리에 앉았다. 괜히 긴장됐다. 작년 여름, 심장병의 재발로 인해 그만 학교를 나오지 못하게 됐었다. 고등학교 3학년의 여름을 그렇게 날려버려 대학도 가지 못하게 되자 부모님은 다시 학교에 가보는 건 어떻냐는 제안을 하셨다. 그 제안으로 3월 2일인 오늘, 또다시 3학년 교실에 들어와 앉았다.

　누군가 반의 문을 거세게 열고 들어왔다. 나마저 깜짝 놀라 문을 바라봤다. 그곳엔 전우현, 그가 있었다. 그는 험상궂은 표정으로 들어오더니 이내 나를 보고 표정이 한껏 풀린 채 말했다.

　“형! 민현규 형이죠!”

　“아, 어.”

　“왜 작년에 학교 안 나왔어요?”

　“몸이 안 좋아서 잠깐 다니다가 잠깐 치료받고 온 거야.”

　“형 진짜 보고 싶었어요!”

　“왜 이래.”

　“형 없던 학교는 너무 조용했어요. 연락은 왜 안 됐던 거에요!

심심해서 죽는 줄 알았잖아요."

다른 이들보다는 살짝 어두운 피부색을 가진 그가 나를 뚫어져라 바라봤다.

"아, 너 반에 들어올 때는 왜 그렇게 험상궂은 표정 짓고 들어온 거야?"

그는 나의 옆에 가방을 걸고 앉았다.

"그냥요. 이번 연도엔 되게 무서운 애로 보이고 싶었어요. 근데형 보고 마음이 싹 바뀌었어요."

"아… 그렇구나. 근데 너 여기 앉아도 되는 거야? 자리 정해진거 아냐?"

"괜찮아요. 이 자리 애랑 자리 바꾸면 되죠." 그는 바보같이 빙긋 웃었다. "형 오늘 저희 같이 하교해요."

"응 그래. 근데 형이라는 말 언제까지 할 거야?"

"제 마음인데요."

"많이 컸구나. 우리 우현이."

"제가 조금요…."

그가 헤헤, 거리며 머리를 긁었다. 그런 뜻으로 말한 게 아니었는데. 잠시 후, 조회 시간을 알리는 종이 울렸다.

조회 중에도 그는 나를 뚫어져라 쳐다봤다. 그런 그를 힐끔 쳐다보니 그와 눈이 마주쳤다. 그는 깜짝 놀라며 나의 시선을 피했다. 그렇게 그는 조회가 끝나도록 나를 바라보지 않았다.

"우현아, 선생님이 말씀하실 땐 조금 듣지 그래? 난 그만 쳐다

보고."

"형 안, 안 봤어요!"

"진짜?"

"그럼요!"

"나는 거짓말 하는 사람 진짜 싫어해."

그렇게 말하자 한동안 아무 말 없던 그가 입을 열었다.

"거짓말해서 죄송해요! 사실 형 봤어요. 옆에서 보는 형은 속눈썹이 길어서 예뻐 보였어요. 속눈썹이 형이 쓰고 있는 안경에 닿을 거 같았어요."

속눈썹이 긴 건 어릴 적부터 알고 있었다. 그런데 안경에 닿을 거 같다니, 참신한 표현이다.

"그래?"

"네. 그리고요, 형 피부가 하얘서 진짜 다른 여자애들보다도 이뻤어요. 형은 저만 바라보고 싶을 정도예요." 그가 눈을 반짝이며 말했다.

"고마… 워? 예쁘다는 말은 처음 듣네."

"진짜요?! 엄청 많이 들어보셨을 거 같은데요?! 아, 곧 종 치는데 저희 1교시 준비해요."

"그러자."

그를 바라보니, 그의 귀에 신경 쓰이는 무언가가 있었다.

"너 귀 뚫었어?"

그의 오른쪽 귀에는 피어싱이 하나 있었다.

"아, 네. 피어싱이에요."

"학교에서 안 잡는구나."

내가 그의 피어싱을 만지자 그는 윽, 하며 고개를 돌려버렸다.

"어, 왜 그래? 미안! 만지면 안 되는 거였어? 미안! 정말 미안해!"

"아 아니에요! 괜찮아요. 뚫은 지 얼마 안 돼서 그런 거예요. 괜찮아요."

그는 나를 안심 시키듯 말했다.

"3일 전에 뚫어서 조금 아프더라고요."

"미안…. 그냥 신기해서 만져본 거였는데. 정말 미안해."

"괜찮다니까요! 실수하실 수도 있죠. 전 괜찮으니까 우리 교과서나 꺼내요."

그는 사물함을 열어보더니 이내 멋쩍은 웃음을 지었다.

"아까 한번 써놓고 사물함에 안 넣어놓은 걸 잊었네요."

"아, 나도."

우리는 서로를 바라보며 멋쩍게 웃었다.

어느덧 학교가 끝나고 어둑어둑해졌다. 아직은 초봄인지라 바람이 쌀쌀했다.

"아직은 조금 쌀쌀하네요." 그는 자신의 겉옷의 지퍼를 올리며 말했다.

"그러게. 봄이 아닌 것 같아. 늦겨울인가."

"오 그런 것 같아요."

"저, 저기 전우현 선배!"

누군가 뒤에서 전우현 그를 불렀다. 그와 나는 동시에 뒤를 돌아봤다. 그곳엔 우리 학교 교복을 입은 여학생 두 명이 서 있었다. 그중 전우현을 불러낸 학생은 머리칼이 밝은 갈색에 살짝 길었다. 키는 160 후반대로 보였다. 반면 그의 옆에 서 있는 학생은 키가 꽤 아담했고 얼굴엔 주근깨가 있었다. 짧은 단발머리의 여학생이었다.

"저요?" 그가 자신을 가리키며 말했다.

"네! 아 전 1학년 2반 주현이라고 해요! 그… 선배 이번 주 토요일에 시간 되세요?"

데이트 신청을 내 두 눈으로 본 건 처음이다. 그리고 사람도 많은 길인데, 이렇게 대담하다니. 신입생의 패기 비슷한 것일까?

"전혀 안 될 거 같은데?" 전우현은 차갑게 말했다.

"왜, 왜요!? 선약 있으세요?" 그가 당황해하며 말했다.

"아니, 그날 아플 거 같아서."

"그건 아직 모르는 거잖아요!"

"아 주현아! 안 된다잖아! 죄송합니다. 저희 이만 가볼게요." 그의 옆에 서 있던 다른 이가 말했다.

"자, 잠시만! 그럼 전화번호라도!"

"휴대폰 없어."

"집 전화번호라도…."

"네 알 바 아니야."

"아… 네. 선배 다음에 봬요."

정말 대담한 아이인 거 같다. 어떻게 선배한테 저렇게 대할 수 있는 걸까.

"쟤 진짜 이상한 애네요. 싫다고 하는데도⋯. 하⋯."

"너 좋아하는 거 같은데."

"전 키 작은 사람 싫어요. 적어도 형만큼은 돼야 사랑의 감정이 싹틀 것 같은데?"

그는 나를 바라보며 미소 지었다.

"저 여자애도 키가 커서 나랑 비슷할 거 같은데."

"형 주변에서 눈치 없다는 소리 많이 듣죠?"

"아니, 어느 정도는 이해했어."

"진짜요?!" 그가 눈을 동그랗게 뜨고는 말했다.

"아마?"

"아마라뇨." 그는 그렇게 말하며 하하 웃었다. 그는 보조개가 있어 웃을 때의 얼굴이 정말 아름다운 거 같다.

"우현아, 전화번호 있어? 아, 휴대폰 없다고 했지."

"사실 있어요. 형. 형한테만 제 전화번호 드릴 수 있어요."

그는 내게 자신의 휴대폰을 건넸다.

"아, 아 응."

나는 그로부터 휴대폰을 받고 나의 전화번호를 키패드에 적었다. 그에게 다시 휴대폰을 돌려주자 그는 행복해하는 얼굴로 휴대폰을 계속 바라봤다.

"형 전화 걸게요. 그걸로 저장하세요!"

"응 알겠어."

그의 전화번호를 저장하고, 그와 나는 한참 동안 어두워진 밤거리를 둘이서 걸었다.

"형. 형은 이상형 있어요?"

"딱히 생각해 놓은 적이 없어서…. 음… 있다면 머리가 조금 긴 사람이면 좋겠어."

"아… 그래요?" 그는 시무룩해진 얼굴로 말했다.

"응. 너는 뭔데?"

"전… 속눈썹이 길고, 안경을 쓴 사람이었으면 좋겠어요. 아까 말했듯이 키가 큰 사람이면 좋겠어요. 약간 형 같은 사람이요."

그는 그렇게 말하며 조금은 얼굴을 붉혔다. 나 같은 사람이라… 취향도 참 독특하다고 생각했다. 나는 잘난 부분 하나 없으니까.

"형. 저 실은요, 형을 다시는 보지 못하게 될 줄 알았어요. 그래서 작년에 정말 슬프게 1년을 보냈었는데, 형이 오니 기분이 좋아 날아갈 거 같았어요." 그가 초저녁 하늘의 떠 있는 작은 별들을 바라보며 말했다.

그를 따라 하늘을 올려다봤다. 달이 아름답다. 어디서 달이 아름답다는 말은 당신을 사랑한다는 뜻이 있다는 걸 들어본 적이 있는 거 같은데, 그 말을 처음으로 한 사람은 무슨 기분이었을까?

"형 오늘따라 별이 아름답네요."

2.

창문을 여니 벚꽃이 방안으로 들어왔다. 아직 벚꽃이 필 시기는 아닌데, 올해는 조금 빨리 핀 거 같다. 봄의 아침은 추웠다. 벚꽃이 나의 책상에 가련히 앉았다. 오늘은 좋은 일이 일어날 거 같다.

발걸음이 오늘따라 가벼웠다. 몸이 가볍고 상쾌했다. 어젯밤 일찍 잠들길 잘한 것 같다.

교실에 들어가기 전 나는 신발을 실내화로 갈아신었다. 누군가 나의 어깨에 팔을 둘렀다.

"형."

나의 어깨에 팔을 두른 건 전우현이었다. 그는 꽤 피곤한 표정을 짓고 있었다.

"안녕, 우현아."

"안녕하세요. 형- 저 너무 피곤해요." 그가 나의 어깨에 머리를 기대었다.

"왜? 어제 늦게 잤어?"

"네…."

"너 손이 차갑다." 내가 그의 손을 잡으며 말했다.

"그래요? 원래 손이 조금 차요. 하하…." 그가 황급히 손을 빼고 말했다.

"응. 넌 신발 안 갈아신어도 돼?"

"어, 요즘에도 신발 신고 오는 사람 있어요? 3학년쯤 되면 다들 실내화 신고 등하교해요."

"아 진짜?"

"네! 형 조회까지 시간 꽤 있는데 저희 매점이라도 가실래요?" 그는 살포시 웃음을 짓고는 말했다.

"아, 나 오늘 까먹고 지갑 안 챙겨왔어."

"괜찮아요. 제가 사드릴게요. 형."

"난 괜찮아. 너 사는 거 따라가 줄게."

"아뇨. 형 사드릴게요. 저만 먹는 건 좀 그렇잖아요. 그리고 저 어제 용돈 받았어요."

"아… 응" 나는 그에게 못 이기는 척 말했다.

어느덧 점심시간이 되었다. 다른 아이들은 모두 뛰어 급식실로 향했는데, 나의 옆에 누워 자는 전우현은 종이 쳐도 뛰어가지 않았다. 아까 종이 치면 깨워달라고 했었던 거 같다.

"우현아. 일어나, 종 쳤어." 그를 흔들어 깨우며 말했다.

"네…. 종 벌써 쳤어요?" 그가 눈을 비비며 말했다.

"응. 일어나. 급식 먹으러 가자."

"네."

그가 자리에서 일어났다. 자리에서 일어난 그는 내 손을 잡고 나를 일으켜 세웠다. 그의 손은 차가웠다.

오늘의 급식은 정말 맛있었다. 좋은 일이 일어날 거 같다던 내 예측은 어느 정도 맞았다. 전우현이 또다시 나의 손을 잡았다.

"전우현, 게이냐?" 지나가던 전우현의 친구가 그에게 말했다.

"그래 보여?" 그는 능청스럽게 말하곤 킥킥대며 웃었다.

"미친놈." 그의 친구가 깔깔거리며 지나갔다.

나는 기분이 나빠져 그의 손을 놓았다. 그가 게이로 보이길 바란 것도 아니고, 내가 게이로 보이길 바라지도 않았다.

"어, 형."

"그냥 손 놓았어. 그리고 이제 나보고 형이라고 안 불러도 돼. 편하게 현규라고 불러." 나는 무심하게 말했다.

"갑자기 왜 그래요, 형? 제 친구가 게이라고 그래서요? 신경 쓰지 마세요. 원래 저러던 애예요."

"그런 거 아냐. 너나 멋대로 내가 어떤지를 판단하지 마."

"아… 네. 죄송해요."

그렇게 우리는 서로의 옆에 붙은 채 교실로 향했다. 그는 슬그머니 나의 옷깃을 잡았다. 그는 꽤 시무룩해진 얼굴을 하고 있었다.

해가 졌다. 해가 져 어둑어둑해졌다. 하늘엔 별이 무수히 많았다. 이렇게 많았던 적도 별로 없었던 거 같은데, 정말 오늘은 좋은 일이 일어났다.

"형, 저희 같이 하교해요."

"응 그러자."

"야! 현규야! 나도 같이 가자!"

나의 뒤에서 그가 옷을 잡아당겼다. 그가 옷을 잡아당겨서 뒤로 넘어질 뻔했다. 다행히 넘어지려는 날 전우현이 잡아줘 넘어지진 않았다. 전우현은 그를 죽일 듯이 노려봤다. 나를 잡아당긴 그는 같은 반 아이였다. 별로 친하지 않아서 이름도 잘 기억 나지 않는다.

"위험하잖아." 전우현이 말했다.

"미안!"

"난 괜찮아. 안 넘어졌으면 된 거지."

"형! 이런 건 확실히 짚고 넘어가야죠! 이렇게 대충대충 넘어가니까 쟤가 저러는 거 아녜요!" 그가 언성을 높였다.

"내가 괜찮다는데, 네가 뭔 참견이야?"

"워워! 그만해~. 그나저나! 야 전우현! 너 현규한테 왜 형이라고 하냐? 게다가 웬 존댓말이야?"

"현규 형 1년 꿇었잖아." 그가 조용하게 말했다.

"뭐!? 진짜야!?" 그가 눈을 토끼처럼 크게 뜨며 말했다.

"응. 우리 지금 집 갈 거니까 빨리 좀 와." 그는 그렇게 말하며 나의 손을 잡았다.

"아 잠깐, 기다려~!"

우리는 손을 잡고 걸었고, 그는 우리의 옆에서 계속해서 조잘댔다. 뭐라고 하는지 하나도 모르겠고, 목소리가 너무 컸다. 솔직히 말하자면 난 그에게 따로 가라고 소리치고 싶었다.

"어디서 이상한 소리 안 나?" 한참을 조잘댔던 그가 조용해지며 말했다.

"아무 소리도 안 나. 그러니까 그냥 가." 전우현이 말했다.

"아냐. 저 골목길에서 나는 거 같아."

자세히 들어보니 조금 이상한 소리가 나는 거 같다. 이상한 짐승의 소리 같다. 나는 혹시라도 짐승일까 몸을 움츠렸다.

"내가 가볼게!" 그가 다짜고짜 그 골목으로 뛰어 들어갔다.

그 골목으로 뛰어간 그는 아무 반응이 없었다. 잠시 후 비명소리가 들려왔다. 고통스러워하는 소리였다. 나와 전우현은 함께 그 골목으로 다급히 들어갔다. 그곳에선 형태가 일그러져 알 수 없는 생명체가 그의 팔을 물어뜯고 있었다. 그 광경은 징그러웠다. 팔을 물어뜯던 그것은 결국 그의 심장을 뜯어냈다. 심장은 조금 뛰더니, 이내 멈춰버리고 말았다. 그 아이의 피가 온 방향으로 튀었고, 우리의 교복에도 피가 묻었다. 그 이상한 생명체는 그 심장을 뜯어먹은 것으로도 모자라는지 다른 사람들을 노려댔다.

"피하세요! 멍하니 서서 뭐 하는 거예요! 경찰에 전화하세요! 119도요! 어서요!" 전우현 그가 소리쳤다.

사람들은 머뭇거리다 이내 그 이상한 생명체에게 팔을 물렸고, 곧이어 그 괴생명체에게 물린 사람들은 피부색이 점점 푸르스름하게 변하더니 그 이상한 생명체와 같이 변해버리고 말았다. 이 괴상한 장면이 현실이 맞는지 의문이 갔다. 그렇게 사람들은 계속해서 그 이상한 생명체로 변해갔다. 그러다 어느 생명체가 내게 달려들었는데, 발이 꿈쩍도 하지 않았다. 도망치고 싶다. 무섭다. 손목이 아팠다. 전우현 그가 나의 손목을 잡고 매섭게 뛰기 시작했다. 나의 구원자였다.

계속해서 뛰었다. 계속해서. 그는 자신의 집 앞에 도달하기 직전까지 계속 뛰었다. 그는 자신의 집 앞에 다다르자 숨을 몰아쉬었다. 그보다 체력이 허약했던 나는 죽어가듯이 숨을 쉬었다. 그가 울고 있다. 바닥에 주저앉아 울었다. 세상을 잃은 사람처럼 울었다. 나는 그가 울음을 그치기 전까지 기다려주었다. 그의 울음이 어느 정도 멈췄다. 그의 얼굴은 새빨개져 있었다. 눈, 코, 입도 귀도 모두 빨개졌다. 난 그의 옆에 앉아 그의 어깨에 머리를 기대었다.

"형…. 저, 저희 엄마가 거기 계셨어요. 저희 엄마가… 그 이상한 생명체한테 물렸어요. 그리고…." 그는 말을 이어가기 힘든지 심호흡을 했다.

"그리고… 그 생명체한테 심장을 뜯겼어요. 아아아아……. 전 이제 어떡해요. 어떡해요. 어떡해…. 형… 진짜 어떡해요…. 엄마가 보고 싶어요. 엄마가 보고… 싶어요." 그가 흐느끼며 말했다.

"…."

나는 아무 말 없이 그의 어깨를 감싸주었다. 그는 엄마와 단둘이 사는 외동아들이었다. 그의 엄마도 그를 위해 살았고, 그도 그런 그의 엄마를 위해 살았다. 그런 그의 삶의 원동력은 이제 사라지고 말았다.

3.

나라에선 긴급재난을 선포했다. 현재 이 사태가 일어난 것으로 연구원이 정신이 이상해져 자신이 연구 중이던 바이러스에 감염되는 사태가 발생하여 그것이 퍼진 것으로 추측되고 있다.

그 이상한 생명체는 좀비라고 불리는 생명체들이었다. 배가 고플 땐 심장을 뜯어먹고 배가 고프지 않는다면 감염을 시키는 것을 위주로 사람의 팔을 물어뜯었다. 그런 잔인한 장면을 보는 나는 토가 밀려나올 거 같았다. 처음으로 좀비 사태가 벌어진 날, 나와 그는 함께 우리 집으로 향했고 나는 그와 한 침대에서 같이 잠을 청했다. 그는 한참을 울어서인지 눈이 빨갛게 부어있었다. 가엾었다.

우리 동네에도 생존자가 급격히 줄어들고 있다. 우리 집에도 이젠 식량이 부족해졌다. 나는 그와 함께 집 밖으로 나섰다. 집 밖으로 나서자 뜨거운 바람이 불었다. 여름이 찾아왔다.

"형 조심해요."

"너도. 조심히 돌아가서 난 우리 부모님께 요리를 해드릴 거야. 너도 뭐 먹고 싶은 거 있어?"

"형이 해주는 요리라면 뭐든 좋아요. 형도 좋고요."

"나도 좋다니?"

"아니에요."

나는 마른 침을 삼키고 마트로 발걸음을 옮겼다. 아파트 단지를 나서자 매미가 크게 우는 소리가 들렸다. 그 좀비들은 매미가 우는 소리를 듣자마자 그 매미에게로 달려들어 매미를 갉아먹었다. 그 매미들은 시끄럽게 울더니… 이내 소리가 멈춰버렸다. 징그럽다.

"형. 저 무서워요." 그의 눈동자가 떨렸다.

"…나도 조금 무서워."

그가 나의 손을 붙잡았다. 또 그의 손이 차가워졌다. 손이 덜덜 떨리는 그는 식은땀을 흘리고 있었다.

우린 그 좀비들을 피해 마트에 도착했다. 마트에 도착하자 입구에서 사람들이 우릴 막아섰다.

"안 돼요. 여기 들어오려면 돈을 내셔야 해요." 그들이 속삭이듯 말했다.

"네? 무슨 소리예요? 아니 여길 당신들이 전부 사셨어요? 저기요. 생각을 하실 수 있으시다면, 이런 행동 하시면 안 되는 거 아닙니까? 지금 사태 심각하신 거 아시잖습니까!" 전우현이 말했다.

"조용히 하세요. 이 좀비들은 소리를 듣고 반응한단 말이에요." 사람 중 한 여자가 나와 말했다.

"…알겠어요. 그러니까 마트 좀 들어가게 해주세요. 저희도 먹고살아야 하잖아요. 이대로 가다간 인류 전부가 좀비가 돼버릴지도 몰라요. 음식이라도 나눠서 살아남아야죠." 내가 그 여자에게 말했다.

"이곳도 이젠 음식이 풍족하진 않아요…. 그래서 돈을 받는 겁니다…. 하아…. 모르겠다. 여기 생활도 이제 지쳤어……. 이제 저 여기서 안 지낼래요…. 집에 갈래요." 그 말을 한 건 머리가 덥수룩하고 다크서클이 심하게 내려온 남자였다.

"아, 기다려. 야, 유지운!" 아까 그 여자가 그를 막았다.

"아 이젠 좀 내버려 둬. 내가 누나 따라서 같이 집도 나와줬잖아. 게다가 가족도 아닌 남남인데. 이제 그냥 내가 알아서 살아갈래." 그는 그렇게 말하며 뒤도 돌아보지 않고 그 자리를 떠났다.

"유지운! 기다려." 그 여자가 그를 쫓아갔다.

그들이 그렇게 사라진 후 우리는 모두 아무 말 없었다. 사람들 모두 눈치를 보는 것 같았다.

"저기요. 저희도 먹고 살아남아야 할 거 아닙니까. 들어가게 좀 해주세요." 전우현이 다시 한번 그들에게 말했다.

"아… 예, 들어가세요." 사람들은 냉큼 문을 열어줬다.

전우현과 나는 좋은 기회라며 빠르게 건물 안으로 들어섰다. 건물 안으로 들어서자 서늘한 냉기가 우리를 감쌌다. 곳곳의 창문은 나무판자로 막혀있었다. 이미 마트의 음식들은 절반 이상이 없어져버린 상태였다. 저들이 자신들의 욕심만으로 음식을 전부 탐한 것이다. 나는 그들에게 강한 분노를 느꼈다. 탐욕스럽고 더러운 인간들! 그래도 꽤 쾌거를 이뤘다. 모든 음식을 쓸어온 건 아니지만 꽤 오랫동안 먹고 살 수 있는 양의 음식, 유통기한이 긴 음식들을 가지고 왔다.

집으로 돌아가는 길, 나는 황량해진 동네를 보며 조금은 슬픔에 빠졌다. 어째서 갑자기 이런 일이 일어나버린 걸까. …이런 일이 일어나지 않았다면 그의 엄마도, 그의 친구도 모두 살아있었을 텐데.

나는 흠칫하고 놀라고 말았다. 바닥에 있는 무언가에 발이 걸렸는데, 그 무언가가 도끼 두 개라는 점이 내 심장을 졸이게 했다.

"우와, 형. 저 도끼 처음 봐요. 우리 집에 가져갈래요?"

"뭐? 무슨 소리야 그게? 이 위험한 걸 집에 들이자고? 게다가 우리 둘이 사는 게 아니라 부모님도 계시는데 걱정하실 거야."

"아뇨, 아뇨. 그런 뜻이 아니고요. 호신용으로요. 요즘 좀비 사태가 심각하잖아요? 언제 우리 집이 좀비 소굴이 될지 모르잖아요. 그니까 예방하기 위해서 이걸로 좀비 목이라도 치자는 뜻이었어요. 어떻게 생각해요?"

"…그건 괜찮은 것 같네. 가져갈까?"

"네. 그렇게 해요, 형. 무거우니까 제가 들고 갈게요. 형이 음식들 좀 들어주실래요?"

"아, 고마워."

"아녜요. 형 손 조심하셔야죠. 형 손 예쁘잖아요."

"난생처음 들어보는 소리인데?"

"제겐 형 손이 이 세상에서 제일 예뻐 보여요."

"아… 그래. 고마워?"

그가 희미하게 웃었다. 확실히 여름이 찾아왔다는 게 느껴졌다. 하늘엔 뭉게구름이 떠 있었고, 매미들은 죽어라 울었다. 여름의 온기가 우리 둘을 감싸 안았고, 땀이 나게 했다. 나는 여름이라는 계절에 약하다. 더위를 많이 타는데, 대한민국의 여름은 미치도록 덥기 때문이다. 땀이 비 오듯 흘러내리는 게 느껴졌다. 땀을 계속해서 닦아내도 계속 내렸다.

"형 더워요?"

"응, 덥네. 내가 더위를 많이 타서 그래. 걱정하지 마."

"형 어디 아픈 거 아니죠? 작년에 아팠던 게 다시 올라오는 게 아니겠죠? ……형 안색이 너무 창백해요. 제가 형 겉옷 좀 들게요. 아무리 얇아도 형은 벗는 게 나을 거 같아요. 아프면 말해요, 형."

"괜찮은데…."

"괜찮아요. 팔 좀 빼주시겠어요?" 그가 나의 겉옷을 벗기며 말했다.

"응. …덥다."

"더워요? 우리 그늘로 갈까요? 제가 손으로 부채질이라도 해드릴까요?"

"아냐. 넌 양손에 뭐가 많잖아. 안 해줘도 돼. 내가 직접 할게."

"…네. 집에 가서 찬물로 샤워해요."

"응…."

그가 나를 걱정해줬다. 아무것도 아닌데. 그냥 더위를 많이 타는 것뿐인데, 이 정도 걱정 따윈 필요 없는데 말이다.

4.

밤이 찾아오고, 열대야에 뒤척였다. 나와 같은 방에서 자는 그도 꽤 더웠는지 잠들지 못하는 듯했다.

"…더워?" 내가 그에게 물었다.

"네…. 덥네요. 형, 침대로 올라가도 돼요?"

"붙어있으면 더울 텐데? 아, 그래. 내가 에어컨이라도 켤까?"

"괜찮아요. 올라가도 돼요?"

"아… 상관은 없는데."

"네." 그가 기쁜 목소리로 말했다. "형, 에어컨 틀면 부모님께 혼나잖아요. 근데도 저를 위해서 틀어주신다고 하신 거예요?" 그가 나의 옆에 누우며 말했다.

"응. 넌 더위도 잘 안 타는데 그 정도면 틀어줄 수 있지." 나는 그와 마주 보며 말했다.

"………형 너무 좋아요. 형 성격도 좋고요. 형 얼굴도 좋고요…. 형의 말투도 좋아요. 형의 목소리도요. 그냥 형이 좋아요."

"응. 나도 너 좋아해"

"네? 진, 진, 진짜요?" 그는 벌떡 일어나며 말했다.

"그럼."

"우와아…. 이거 대박이에요. 자극이 너무 심해요. 심장이 터질 거 같아요. 으으으. 형이랑 한 침대에 누워있는 것 자체만으로 심장이 미칠 듯이 뛰는데 형이 그런 말씀 하시면 저 진짜 죽어버릴지도 몰라요…." 그가 이불로 얼굴을 가리며 말했다.

"너는 나한테 그런 말을 하는 게 신기하다. 어디 잘난 곳도 없는데. 난 네가 너무 부러워. 여자애들한테도 인기 많잖아. 저번에 그 여자애도 마찬가지고."

"제겐 형 하나로 충분해요. …형 이게 무슨 감정인지 알아요?"

"응? 당연히 알지? 너 나 좋아하잖아? 나도 그렇고. 우리라면 당연히 느껴야 할 감정이라고 생각해. 형 동생으로서 느끼는 좋아함이라는 감정 말이야."

"……네. 형."

"응. 아니면 혹시, 너 연애 대상으로 좋아하고 있는 거야?"

"아뇨? 형 동생으로서죠."

"응. 그렇구나. 우리 이제 자자."

"네. 잘 자요."

아침 해가 뜬 지 한참이나 지난 오후 12시에 눈을 떴다. 나의 옆에는 그가 있지 않았다. 내가 늦게 일어났으니 그가 없을 만했다. 나는 방문을 열고 거실로 나왔다. 문득 거실이 휑한 것을 느꼈다. 현관문이 열려있었다. 아, 왜지? 전우현 그가 열어놓고 갔을 리는 없을 터, 그렇다고 해서 부모님이 열어놓지도 않으셨을 텐데.

카펫이 깔리지 않은 거실 바닥을 밟았다. 끼익- 하고 나무판자가 밟히는 소리가 났다. 나의 발 옆에 도끼가 있었다. 하마터면 밟을 뻔했다. 아까 전 내가 밟았던 그 소리에 안방에서 갑자기 다급한 발소리가 들렸다. 그 발소리의 주인은… 좀비가 된 나의 부모님이었다. 아아… 아… 아… 이… 감정을 뭐라고 표현해야 할까. 다리에 힘이 풀렸다. 눈물을 머금고 내게 달려드는 나의 아버지의 목을 쳤다. 잘린 목에선 피가 쏟아져 나왔다. 검붉은 색의 피가 나의 옷을 더럽혔다. 새하얀 카펫이 검붉은 색으로 물들었다. 떨어져 나간 그의 머리는 아직 살짝씩 움직이고 있었다. 하지만 곧 죽을 거 같았다. 숨을 쉬기가 어려웠다. 내가 나의 손으로 나의 부모를 죽였다. 전우현은 어디로 갔을까. 기댈 사람이 필요했다. 갑자기 또 다른 발소리가 들렸다. 아 또 내게로 엄마가 달려든다. 소리가 멈춰 다시 방으로 돌아간 것 같다. 내가 헐떡이는 숨소리에 그가 반응한 거 같다. 자리에서 일어날 수가 없었다. 도끼를 쥔 손이 덜덜 떨렸다. 그때 전우현 그가 뒤에서 나의 엄마의 목을 쳤다. 무덤덤해 보였지만 공포에 휩싸인 얼굴이었다. 또다시 옷이 피로 물들었다. 그가 덜덜 떨리는 손으로 도끼를 떨어트렸다. 도끼가 바닥에 박혔다. 우리의 두 도끼는 피로 물들었다.

"혀, 형. 괜찮아요? 안 다쳤어요? 전 화장실에 있었는데… 갑자기 이상한 소리가 나서 나와봤더니… 하 정말 놀랐어요." 그가 피 묻은 손으로 나의 얼굴을 쓰다듬었다.

"응. 아… 우리 둘 다 이제 부모를 잃게 됐네. 그런데, 갑자기 어떻게 된 거야? 우리… 엄마 아빠가 좀비가 된 게… 어떻게 일어난 일이야?"

"저도 잘은 모르겠어요. 문이 열려있는 것으로 봐서 아마… 잠깐 나가시려다가 봉변을 당하신 거 같아요. 근데… 그럼 지금 이 집안에 다른 좀비도 있다는 말 아니에요?"

"어…? 무섭게 그런 말 하지 마."

"조용히 해요. 빨리 짐 챙겨서 이 집 떠나요. 저희 살 집을 새로 알아봐야죠."

"……응."

방에 들어가 가방에 5일분의 옷만 챙겼다. 빨래를 못 하게 될지도 모르니 챙긴 것이었다. 아직 손이 떨린다. 숨이 고르게 쉬어지지 않았다. 가방을 메고 거실로 나갔다. 그는 도끼 두 자루를 깨끗하게 씻고 있었다. 그는 도끼의 날 부분에 신문지를 감싸 자기 가방에 넣었다. 그는 안색이 창백했다. 그는 나가자며 고개를 문 쪽으로 까딱였다. 운동화를 꽉 조여 신발 끈을 묶고 그의 뒤를 따랐다.

5.

바깥은 아직은 더운 날씨였다. 내 생각보다 사람들은 멍청했던 거 같다. 길거리엔 사람들의 시체가 뒹굴었다. 당연하게도, 심장이 있던 곳의 자리만, 폭- 파인 채. 죽은 지 얼마 되지 않은 사람의 시체를 우연히 보게 됐다. 그 사람의 파인 구멍에선 아직 피가 솟아나고 있었다. 난 눈을 돌려 그를 바라봤다. 그는 비위가 상한 듯 눈을 힘겹게 뜨고 있었다. 우리 둘은 아무 소리 없이 그 시체가 나뒹굴고 있는 길을 걸었다.

실수로 사람의 시체를 밟고 말았다. 그 시체는 죽은 지 얼마 되지 않은 건지 피부가 부드러웠다. 나는 헛구역질을 참으며 그에게 손을 뻗었다. 가까스로 그의 옷자락에 나의 손끝이 닿았다. 그가 놀라 뒤를 돌아보며 나를 부축해주었다. 부축까지는 솔직히 필요가 없었다만, 그의 괜한 오지랖이었다.

시계가 고장 난 것인지 해가 저물고 있는데 현재 시각이 오후 12시 5분으로 떴다. 금방 갖다 버려야겠다. 그와 지칠 대로 지친 채 괜찮은 건물을 찾아다녔다. 한참을 떠돌다 어느 백화점 안으로 들어섰다. 입구엔 카드를 대고 들어가야 하는 식이라 좀비가 들어올 수는 없었다. 그렇지만 나에겐 카드가 없었다. 평생 백화점을 올 일이 없었으니 말이다. 그때 그가 가방 주머니를 뒤적거리더니 한 카드를 꺼냈다. 그 카드를 꽂으니 백화점의 출입구가 열렸다. 그와 내가 백화점 안으로 들어서자 백화점 문이 끼익- 하며 닫혔다. 좀비 걱정은 없는 듯했다.

"형, 여기는 좀비가 없는 거 같아요. 이 건물 안에 바로 옆, 대형 마트로 이어져 있는 길이 있어요. 그걸로 식량 문제는 걱정이 없을 거예요. 근데 대형 마트는 카드로 출입하는 게 아니어서 좀 걱정되기는 하네요. 괜찮아요. 마트에서 사람들이 함부로 백화점으로 넘어오지 못하게 입구에 있던 거랑 같은 문이 있을 거예요. 걱정 마요."

"딱히… 걱정 안 했는데."

"아……? 저만 혼자 엄청나게 떨었나 보네요." 그가 멋쩍은 웃음을 지어 보였다.

"너 이 건물 잘 알아?"

"음 저도 잘은 몰라요. 이 백화점이 좀 유별나잖아요? 애초에 손님들까지 카드로 들어오게 하다니. 이 카드도 VIP들한테만 주는 거예요. 진짜 어이없죠? 일단 지하 1층에 제과점이 있다는 건 알아요. 거기라도 갈까요?"

"응. 일단 로비에서 이러고 있지 말고 가자."

"네."

나와 그가 지하 1층으로 향해가던 그때, 그가 또 은근슬쩍 나의 손을 잡았다. 거부감은 들지 않았지만, 남자끼리 이러는 건 별로 보지 못한 거 같다.

지하 1층은 생각한 것보다 확 트인 곳이었다. 여러 음식점이 많아 마트로 가는 것보다 이곳으로 오는 것이 더욱 안전할 것 같다. 잘만 걷던 그가 갑자기 멈춰서고는 내게 귓속말을 했다.

'형. 무슨 소리 못 들었어요?'

'아니? 못 들었어.'

'누군가의 발소리였어요. 여기에 있던 사람이 좀비가 된 걸까요?'

'그건 아니었으면 좋겠는데….'

그가 주변을 두리번거리기 시작했다. 아무래도 무기가 될만한 걸 찾기 시작한 거 같다. 그가 옆 음식점에 가 날이 갈린 식칼을 가져왔다. 그 식칼은 반짝반짝하게 빛이 났다. 한눈에 봐도 위험해 보였다. 방금 나의 뒤에서 바스락- 하는 소리가 들렸다. 비닐봉지가 밟히는 소리였다. 그도 그 소리를 들었는지 황급히 뒤를 돌아 그 소리가 난 방향을 향해 식칼을 내밀었다. 그리고 조금씩 그곳을 향해가기 시작했다. 소리가 조금 더 가까워졌다. 하나가 아니라 둘인 것 같았다. 그들도 우리에게 다가오고 있던 것이다. 다리가 조금씩 떨렸다. 그들의 발소리가 바로 우리의 앞에 멈춰서고서야 우리는 그들이 누군지 알게 되었다. 얼마 전, 전우현에게 데이트 신청을 한 그들이었다. 그들은 전우현이 들고 있던 식칼에 상당히 놀란 것 같았다.

"너네, 뭐야?" 전우현 그가 먼저 입을 열었다.

"저, 저희도 대피 온 건데요⋯." 머리가 긴 사람이 말했다.

"여기 좀비 없어?" 그가 까칠하게 말했다.

"네, 여태까지는 그런 것 같아요. 저희도 여기서 지낸 지 아직 사흘밖에 안 됐어요." 짧은 머리의 사람이 말했다. "우선 제 이름은 반채희예요. 오른쪽에 서 계신 분이 전우현 선배 맞죠? 왼쪽 분은 민현규 선배고요. 잘 부탁드려요. 아, 그리고 제 옆에 있는 애는 주현아예요. 저번에 한 번 만났었죠?"

"응. 그래. 여기 너희 말고 다른 사람들도 있어?" 내가 그들에게 물었다.

"⋯네. 3층에서 생활 중이에요. 2명이고요. 이름은 유지운, 강세연이에요."

"그 둘 뿐이야? 너희는 여기 어떻게 들어온 거야?" 전우현 그가 말했다.

"아! 저희 둘 다 평소에 여기 자주 와서요, 선배 그리고요, 저희 이렇게 다시 만나게 된 것도 인연이잖아요? 저희 잘 지내봐요!" 주현아 그가 전우현에게 손을 내밀었다.

"어, 싫어." 그가 귀를 후비며 말했다.

"아! 왜요? 제 어디가 못 나서요?" 그가 목청을 높이며 말했다.

"제발 좀 닥쳐. 시끄러우니까."

그가 나를 바라봤다.

"욕한 거 죄송해요. 형, 저희는 이만 올라가요." 나의 어깨에 달라붙어 그는 달콤한 목소리로 말했다.

"아… 그래. 근데 사과는 나 말고 저 여자애한테 해."

"제가 왜, …하 미안. 이제 가요 형."

"똑바로 해."

"…네. 주… 뭐더라. 어쨌든 미안해. 진심으로." 그는 영혼이 담기지 않는 목소리로 말했다.

"네! 주현아예요!"

"현아야, 우리도 그만 이제 3층으로 돌아가자." 반채희가 말했다.

그들을 뒤로하고 우리는 이 건물을 조금 더 탐색해보기로 했다. 전우현 그는 왜 이렇게 남들에게 쌀쌀맞은 걸까. 살갑게 대해주면 좋을 텐데. 그가 또 나의 손을 붙잡았다. 공포에 떨던 손은 온데간데없이 사라지고 난 후였다. 그의 손이 따뜻해졌다. 그와 나의 눈이 마주쳤다. 그는 나를 바라보며 싱긋 웃어 보였다. 그의 눈에 다시 생기가 돌기 시작했다. 나는 속으로 안도하며 그의 손을 다시 꼭 쥐었다. 그의 얼굴이 살짝 빨개진 게 느껴졌다.

6.

백화점 안에는 창문이 존재하지 않았다. 그래서 현재 바깥이 어떤지 알 수가 없었다. 오히려 보이지 않는 것이 나의 정신 건강에는 좋을 거 같다. 집에서도 커튼을 치고 살았었다. 보이지 않는 게 좋을 거다.

1, 2층에는 볼 것이 별로 없었다. 드디어 나와 그는 3층으로 향했다. 3층도 1, 2층과 비슷한 분위기였다. 왜 하필이면 그들이 3층을 골랐는지 의아하기까지 했다.

"형, 저기 사람이에요."

그의 손끝에는 얼마 전 마트 앞에서 본 그 남자가 서 있었다. 가만히 서 있던 그 남자는 발을 내딛으려다 갈비뼈를 부여잡고 몸을 움츠렸다. 우리는 매우 놀라 그에게로 달려갔다.

"괜찮으세요?" 내가 그의 어깨를 두드리며 말했다.

"아… 네. 괜찮습니다. …그나저나 저희 어디서 봤었나요? 굉장히 익숙한 느낌이 드네요."

"아, 아마도 저번에 마트 앞에서 봤을 거예요. 저도 익숙하다 했더니, 저번에 뵌 분이셨군요." 내가 말했다.

"그렇네요. 여기서 지내기로 하셨나요?"

"아마도 그럴 거 같아요."

"그럼 자주 뵐 분인데, 이름 좀 알려주시겠어요?" 그가 자리에서 천천히 일어나며 말했다.

"저는 민현규예요. 20살이고요. 제 뒤에 있는 애는 전우현이에요. 19살이에요."

"아, 네. 반가워요. 전 유지운이에요. 21살이요. 어차피 저희 자주 볼 사이인데 말 놓죠."

"네. 그래요."

"전 싫은데요?" 나의 뒤에 있던 그가 말했다.

"…그럼 그렇게 하세요. 강요한 적 없습니다."

"형, 잠시만 이리 와 봐요." 그가 나에게로 와 나의 손목을 낚아채며 말했다.

7.

그가 나의 손목을 잡고 유지운과는 멀리 떨어진 곳으로 갔다. 그는 조금은 화가 난 듯 보였다. 왜일까. 내가 멋대로 그의 이름과 나이를 밝혀서일까.

"형."

"응."

"…형도 말 안 놓으시면 안 돼요?" 그가 주인을 잃은 강아지처럼 쳐다보며 말했다.

"왜? 이미 말 놓기로 했는데, 갑자기 안 하겠다고 하는 건 좀 그렇지 않아?"

"저한테만… 말 놓아주시면 안 될까요. 그리고 그 자식, 눈이 음흉했다고요!"

"그 자식이라니, 그리고 너 초면인 사람한테 그런 말 하는 거 아니야. 너 조금 전에 그 사람한테 짜증 냈지? 진짜 넌 왜 그러는 거야? 내 주변에 있는 사람들한테만 왜 그렇게 행동하는 거야? 이유가 뭐야?"

"………형이 좋으니까요. 아니, 그 그런 의미가 아니라, 그런… 아껴준다고 해야 하나. 그런 쪽이에요…."

"그런 짓 안 해도 돼. 내가 알아서 잘할 테니까. 넌 앞으로 그런 짓 좀 하지 마. 내가 다 무안해지잖아."

"…네. 그럼 저희 다시 그 사람한테 가기 전에 저 한 번만 안아주실 수 있어요?"

"응? 왜?"

"그냥… 엄마가 보고 싶어서요."

"…응."

나는 그를 꼭 껴안았다. 그도 나를 꽉 껴안았다. 갈비뼈가 으스러지기 직전처럼. 그는 나를 자신의 품에서 놓아줬다. 그는 한껏 나아진 표정으로 나의 얼굴을 바라봤다. 나도… 우리 부모님이 보고 싶어졌다.

그들이 생활하는 곳을 안내받았다. 그곳엔 백화점인데도 왜인지 모르게 침대가 있었다. 지내는 데에 문제는 없어 보였다.

"지운이한테 아까 얘기 들었어요. 저는 강세연이에요. 잘 부탁드려요. 말은 편하게 하세요. 누나라고 불러도 괜찮아요."

"아, 네. 잘 부탁해요."

"그리고 너, 전우현이라고 했지? 예의 없게 굴었다며? 난 그냥 너한테 말 편히 할게. 내가 너보다 적어도 9살은 많은 거 같으니까."

전우현 그의 표정이 일그러졌다. 그리고 그는 유지운을 뚫어질 듯 노려봤다. 유지운 그는 그 시선을 느낀 건지 안 느낀 건지, 멍청하게 자신의 손톱만을 바라보고 있었다.

"예의 없게 굴었다뇨? 저는 제 생각을 말한 것뿐인데요? 그걸 그렇게 받아들이고 저한테 이렇게 말씀하시는 쪽이 예의 없게 굴었다고 생각하는 쪽이 더 예의 없는 것 같네요. 아아, 저는 당신들과 같은 사람들과 잘 지낼 수 있을까에 대해 의문이네요. 오자마자 이런 일에 엮이다니, 기분 참 더럽네요. 그리고 말 놓지 말아주시겠어요? 기분 진짜 나쁘니까요." 그가 경멸하는 표정으로 말했다.

"그랬어? 우리 아기 기분 나빴어?" 강세연은 자신보다 한참이나 큰 전우현의 머리를 억지로 쓰다듬으며 말했다.

"아 좀, 더러운 손으로 만지지 마세요." 그가 그의 손을 쳐내며 말했다.

"더럽다고 했냐? 야, 내가 상냥하게 대해줬더니 나대네?"

"하… 누나 그만 좀 싸우면 안 돼? 그냥 어린애가 핏줄 세우는 거로 생각해. 아 시끄러워 죽겠네." 그가 자리를 박차고 나가며 말했다.

"시발, 뭐라고요?"

"우현아 좀. 그만해. 오늘 처음 본 사람들이잖아. 그만하자."

"아아 형! 저 진짜… 진짜 답답해서 죽어버릴 거 같아요. 아아아!!"

"우현아. …너 기분 나쁜 거 알겠으니까 그만해."

"…네. 죄송합니다. 제가 잘못했네요. 말이 좀 심했죠? 여기서 끝내죠."

"그래…. 나도 말이 좀 심했네. 미안."

전우현이 자신에게 말을 놓은 그를 보며 얼굴을 구겼다. 그는 화를 억누르듯 자신의 주먹을 꽉 쥐었다. 손톱이 우두둑거리는 소리가 들렸다.

"현규야, 잠시만 이리 와봐."

아까 자리를 박차고 나간 그가 내게 말했다. 언제인지 다시 이곳으로 돌아온 후였다. 전우현의 눈치를 한 번 살피고 그에게로 발걸음을 옮겼다. 현규야, 라는 말은 참 오랜만에 들어본 거 같다. 부모님 외에 인물에겐.

그와 함께 향한 곳은 백화점의 옥상이었다. 옥상은 굉장히 넓고 쾌적했다. 곳곳에 꽃들이 심겨 있었다. 작은 식물원같이 보였다. 이 건물이 상당히 높은 층이라 내려 본 풍경은 장관이었다.

"여기 되게 좋지?" 그가 내게 말했다.

"응. 그렇네."

"근데 너 20살이라고 했지? 근데 왜 재랑 같이 다니는 거야? 사촌 동생?"

"아니, 학교 한 번 꿇었거든. 그래서 같은 반 애야. 21살이라고 했었지? 나보다 형이구나. 나보다 형인 사람은 정말 오랜만에 보는 거 같아."

"…그래? 너 그나저나 속눈썹이 되게 길구나? 안경에 닿을 것 같네."

"저번에도 우현이가 그랬었는데, 다들 그 소리네. 나 많이 긴 편이야?"

"응. 너 성격이 진짜 귀엽구나." 그가 희소하며 말했다.

"응? 무슨 소리야? 너무 순진하다는 소리야?"

"음… 지금은 그렇게 받아들이는 게 좋겠네."

"그게 무슨 의미야?"

"아무것도… 아, 저 사람 지금 심장이 뜯기고 있어. 바보네. 이 시간대의 좀비는 배가 고플 시간인데, 모르고 있는 걸까? 저 사람이 우리 말고 마지막으로 남은 생존자였는데. 괜히 혼자 살아남겠다고 해서는." 그가 난간에 몸을 기대어 말했다.

"나도 몰랐어…. 형은 어떻게 그런 걸 알고 있는 거야? 저번에 마트에서 봤을 때도 좀비가 소리를 내면 알아챈다고 하는 것도 세연 누나가 알고 있었잖아."

"좀비에 대해 궁금한 게 많아서 실험을 좀 했었어. 그 누나랑 같이. 그 실험으로 알게 된 걸 노트에 하나하나 적었지. 그랬더니 잡지식이 쌓였어. 너도 궁금하면 그 노트 보여줄게. 집에서 나올 때 챙겨왔거든."

"아… 고마워! 그럼 좀비는 높은 곳에서 들리는 소리도 들을 수 있어?"

"이 정도 높이는 안 들릴 거야. 평범한 사람들에게도 안 들리듯. 좀비의 청각은 우리 사람들과 비슷한 거 같았어. 매우 조금 발

달 된 정도인 거 같아."

"그렇구나. 근데 왜 와보라고 한 거였어? 여기 보여주려고?"

"응. 이렇게 대화하는 게 편한 사람은 오랜만이야. 마트에서 봤을 때도 너를 눈여겨봤었는데…. 다시 만나다니 놀랍다."

"아? 정말? 고마워"

"전화번호 알려줘. 나중에 우리 떨어졌을 때도 연락하고 지내자."

"아 응. 알겠어."

그가 내게 자신의 휴대폰을 건넸다. 휴대폰은 최신 것이라고 보기엔 힘들었다. 굉장한 구식 휴대폰이었다. 나는 그의 휴대폰에 나의 전화번호를 적었다. 그는 나를 흥미롭다는 표정으로 바라봤다. 그의 눈 밑으로 진 다크서클이 그가 실험을 얼마나 열심히 했는지 알려주고 있었다. 좀비에 그 정도로 열정적이다니, 이상하다.

"고마워. 내가 전화 걸 테니까 너는 그걸로 저장해."

"응."

"너에게 물어보고 싶은 게 있는데, 물어봐도 돼?"

"응. 뭔데?"

"너는 이 동네에 생존자가 몇이라고 생각해?" 그가 나를 거부감이 느껴질 정도로 빤히 쳐다봤다.

"…잘 모르겠는데 아마 30명 정도는 있지 않을까."

그가 큰 소리로 깔깔대며 웃었다. 그가 한참을 웃고 난 후 드디어 내게 입을 열었다. 그가 왜 그렇게 웃은 건지 잘 모르겠다.

"이 동네에 남은 사람은 우리밖에 없어." 그가 조금 전까지와는 사뭇 다른 진지한 얼굴로 말했다.

꽤 혼란스러워졌다. 이 컸던 동네에 고작 6밖에 남지 않았다니.

"6명 밖에 없는 거야? 형이 다 돌아보지 못한 거 아닐까?"

"아니, 전부 돌아보고 온 거야. 그리고 아까 그 사람도 죽었고. 그래서 너희를 못 봤었을 땐, 그 사람 빼곤 4명 밖에 없는 줄 알았어. 너희가 나타나기 전까지 이 동네에 남자가 오직 나밖에 없는 줄 알았어. 또, 좀비들은 밤이 되면 꽤 얌전해져. 아무래도 태양의 빛을 받고 힘이 돋아나는 거 같아." 그는 다시 건물 아래를 바라보며 말했다.

"그럼 밤에는 배고파하는 좀비가 없어?"

"그건 아직 잘 모르겠어. 아, 현규야. 나 부를 때에는 지운이 형이라고 불러줄래?"

"아… 응. 왜?"

"형이라고 불린 건 오랜만이라서. 특히 너 같은 애한텐"

"나 같은 애가 뭔데?"

"……내 이상형?" 그가 잠시 고민하더니 말했다.

"나? 왜 다들 나 같은 애가 이상형이라는 거야? 우현이도 나한테 자기 이상형이라고 했었는데, 나 같은 애가 어디가 잘났다고 다들."

"…전우현이 너한테 네가 이상형이라고 그랬어?"

"직접적으로는 아닌데, 나 같은 사람이라고는 그랬어. 근데, 지운이… 형은 내 어디가 형의 이상형인 거야?"

"바뀌었어. 너를 보고 나의 이상형이 너로 바뀌었다고. 무슨 말인지 알아들었어?"

"그 정도로 눈치가 없진 않아. 음……… 그래도 잠시만 시간을 줘."

"그래." 그가 작은 미소를 지었다.

시간은 점차 흘러갔고, 그는 슬며시 웃으며 나를 바라보고 있었다. 그는 시간이 지날수록 조금씩 내게로 다가왔다. 그의 말의 의미를 생각하려고 하면 할수록 머릿속이 복잡해졌다.

"모르는 거구나. 괜찮아. 내가 차근차근 알게 해줄게. 그럼 우리 이만 돌아가자. 전우현도 너를 기다리고 있을 거야. 그 아이를 두고 나왔잖아."

"아, 응….."

그는 나를 제쳐두고 먼저 계단으로 향했다. 그를 따라잡기 위해 조금은 빠른 속도로 걸었다. 그가 그것을 느낀 것인지 잠시 멈춰 뒤를 돌아봐 주었다. 그리고 내게 손을 내밀었다.

"어서 가자. 여기도 이제 문을 닫아야 해."

그가 내민 손을 잡았다. 그러자 그가 방긋 웃으며 다른 손으로 주머니를 뒤적거리더니, 작은 열쇠를 꺼내 옥상 문을 잠갔다.

"형! 어디 갔었어요! 아까 그 음흉하게 생긴 애랑 단둘이서요!" 전우현 그가 엄하게 화를 내며 말했다.

"그냥… 옥상 좀 다녀왔어. 그 형이 잠깐 보자고 해서."

아, 하고 작은 소리를 냈다. 그새 깜빡하고 '형'이라고만 해버린 것이었다. 그가 주변에 있지 않아 다행이었다.

"형, 이게 전부 저의 욕심이란 걸 알지만,"

"욕심이란 걸 알면 안 하면 되잖아." 그의 말을 끊고 내가 말했다. "아, 미안. 말을 끊을 생각은 아니었는데…. 너 말 끊는 거 싫어한다고 했었잖아. 미안해."

"괜찮아요. 제 잘못이기도 하잖아요. 앞으론 안 그럴게요."

"미안해, 너 말 끊는 거 정말 안 좋아하잖아."

"괜찮아요. 형."

그는 화가 난 듯 보였지만 얼굴은 웃고 있었다. 왜 이렇게 그는 계속 거짓말을 하는 것일까.

그와 나눌 말이 없었다. 그렇게 우리는 멀뚱멀뚱 한참을 서 있었다. 아무 말 없이 기나긴 시간을 보냈다. 먼저 말을 꺼낸 건 내 쪽에서였다.

"나 잠시 화장실 좀 다녀올게."

나의 말에 그가 고개를 살짝 끄덕였다. 화장실을 가고 싶지는 않았다. 이 어색한 자리를 피하고자 가까스로 꺼냈던 말이 고작 그거였다. 왜인지 아까 유지운과 손을 잡은 후로 전우현과의 자리가 조금은 어색해졌다. 전우현에겐 무척이나 미안한 일이지만, 내 감정을 어떻게 할 수 없었다. 야속하게도 다급히 들어간 화장실에서 유지운 그를 만났다. 그는 손을 씻으며 거울을 바라보고 있었다. 거울로 내가 들어온 것을 알아차린 그는 작게 미소 지었다. 그의 피부는 생각보다 하얗다. 피부가 평소 하얗던 나도 깜짝 놀랐다. 이런 사람을 보고 백옥 같은 피부라고 하는 걸 깨달았다.

"피부가 되게 하얗네." 내가 그에게 말했다.

그는 하하, 하고 웃으며 나의 손을 붙잡았다. 손을 방금 씻어 차가운 그의 손에 나의 온몸이 찌릿찌릿했다. 아까 전 옥상에서 손을 잡았을 때 느낀 거였지만 그는 체온이 낮은 거 같았다. 그 나름대로 그의 분위기와 어울렸다.

"너도 하얗잖아. 너는 여자애로 태어났으면 예뻤겠다. 근데 지금도 예쁜 거 같아."

그의 목소리가 달콤하게 느껴졌다. 낮은 그의 목소리가 나의 귀에서 울렸다.

"안 예뻐. 잘생겼다는 말도 들어본 적 없고."

"넌 잘생긴 것과는 거리가 좀 있는 거 같아. 그래. 잘생긴 것보다는 예뻐."

전우현에게 들었을 때보단 느낌이 확연히 달랐다.

"아, 아니야."

쥐도 새도 모르게 나의 볼이 살짝 붉어졌다. 그것을 눈치챈 그는 야한 미소를 짓고 내게 더 가까이 다가왔다. 그리고 그는 입꼬리를 살짝 올렸다.

"너 정말 귀엽구나. 놀려서 미안. 이제 곧 밥 먹을 시간이야. 가자."

이 화장실에 오고 나서 느낀 이 감정을 난 이해 할 수가 없었다.

8.

밥 먹을 시간이라고 한 그 때문에 이곳은 따로 그들만의 식사법이 있는 줄 알았다. 하지만 별다를 거 없이 자기가 해 먹으면 되는 것이었다. 나와 전우현은 방황하다가 나에게는 유지운 그가, 전우현에게는 주현아 그가 식사법을 알려주었다. 새삼 다시 느끼는 거지만 주현아는 전우현 그를 많이 좋아하는 것 같다.

나는 고기를 구웠다. 소고기였다. 유지운 그도 처음에만 고기를 구워 먹고 날이 갈수록 편하고 빠른 음식만 찾게 된다고 했다. 식당에 있는 한 식탁에 자리를 잡고 앉았다. 정말 고요했다. 고기를 썰고 한 입 먹었다. 생각해보니 오늘의 첫 끼였다. 원래 같았다면 엄마가 차려준 저녁밥을 먹고 있었겠지.

"형, 여기 있었네요. 요리 뭐하셨어요?"

"그냥 고기 구웠어."

"우와 정말요!? 전 고기 구울 생각도 못 했는데…. 옆 마트 가서 냉동 볶음밥 사 와서 아무 식당 들어가서 해왔어요. 사 왔다기보단 그냥 가져온 거지만요." 그가 피식 웃었다.

"아… 그 카드 말이야, 지금 너 말고 여기선 누구누구 가지고 있는 거야?"

"VIP 카드요? 일단… 그 강세연이라는 여자랑 유지운이라는 사람이랑… 그 여자애 둘이요."

"전부 가지고 있다는 뜻이구나. 나만 가지고 있지 않은 거네."

"아! 하나 드릴까요?"

"네가 쓸 것밖에 없지 않아?"

"저희 엄마 카드이긴 한데… 아, 그럼 제 카드 드릴게요. 형이 이거 쓰시고 저는 저희 엄마 거 쓸게요."

"아 아냐. 괜찮아. 난 없어도 돼."

"그러면 마트나 잠깐 밖에 나갈 때 꼭 누군가 옆에 있어야 하잖아요. 그냥 제 카드 드릴게요."

"아, 아니 안 줘도 돼…."

"괜찮아요. 그냥 받아요. 이젠 엄마도 계시지 않잖아요. 저희라도 잘 살아남아야죠."

"응…. 고마워."

그는 대답 대신 내게 환한 미소를 지어 보였다. 지금까지 그에게 카드를 받아도 되나 싶다. 아니 그나저나 이렇게나 VIP가 많다고? 전우현이 이런 백화점에 올 줄은 몰랐다. 유지운 그도.

식사를 마치고 설거지마저 끝냈다. 물이 차가워 손끝이 시렸다. 손을 목에 가져다 댔다. 조금 차가웠지만, 나의 체온 덕에 손은 다시 따뜻해질 수 있었다.

"형 손 시려요?" 나의 뒤에서 그가 말했다.

"아 응. 근데 이제 괜찮아."

"제 손 잡아요! 제 손 따뜻해요!"

"괜찮아. 이젠 괜찮아졌어."

"네…." 그가 한껏 힘이 빠진 얼굴로 말했다.

"전우현 선배! 있잖아요! 저희 옥상 가실래요?" 주현아 그가 문을 열고 다급히 들어오며 말했다.

"싫어."

"우현아 한 번 가주지 그래? 저번부터 계속 그랬잖아."

"…제가 싫다고요. 그리고 저 여자애는 제 취향이 아니에요."

"선배 진짜 너무해요! 아무리 그래도 어떻게 그런 걸 제 앞에서 말씀하실 수 있어요? 그럼 시간을 주세요! 제가 꼭 선배를 제 것으로 만들고 말겠어요!" 그가 활기찬 눈으로 말했다.

"가능하겠냐?" 그가 냉정하게 말했다.

"네! 잘 해봐요!"

그가 억지로 전우현의 손을 잡고 악수를 했다. 전우현은 노골적으로 불쾌한 티를 내며 그의 손을 뿌리쳤다. 주현아는 상처받지도 않고 들이대는 것을 보면 정말 좋아하는 거 같다.

"이야, 그럼 우리도 잘해볼까? 현규야?" 언제 왔는지 나의 어깨에 팔을 두른 유지운이 말했다.

"응? 잘해보자니? 쟤네랑 같은걸?"

"응. 별로야?" 그가 나의 얼굴에 가까이 다가오며 말했다.

"별로예요." 전우현 그가 나의 어깨에서 그의 손을 치우며 말했다. "형. 형도 싫으면 싫다고 확실히 말해요!"

"싫으면 싫다고 단호하게 말하고 있어 난. 너나 날 과잉보호 하지 마. 내가 알아서 할 테니까."

눈물을 참는 것 같은 그의 얼굴이 뒤늦게 눈에 들어왔다. 그는 조금 이기적인 거 같다고 생각했다.

9.

백화점에서의 첫 밤이었다. 고요해서 아무런 소리도 들리지 않았다. 여자 남자 방을 나눠 쓰기 때문에 우리가 오기 전까진 유지운 그 혼자만이 이 큰 방에서 지냈다고 했다. 조금은 무서웠을 거 같다. 나의 옆 침대에서 전우현이 색색 대며 자고 있다. 그의 숨소리는 일정했다.

고요한 소리를 깨고 바스락거리는 소리가 들렸다. 눈을 감고 있던 터라 전우현 그가 뒤척이는 줄 알았다.

"현규야, 자?"

그의 목소리가 귓가 바로 옆에서 들렸다.

"아니. 잠이 안 오네. 낯선 곳에서는 잠이 잘 안 와."

"그래? 그럼 우리 같이 잘까?"

"아, 괜찮아. 불편하잖아."

"음… 그래. 그럼 우리 잠시 얘기 좀 하고 올까?"

"응? 아, 응. 그래 알겠어."

그와 향한 곳은 옥상이었다. 옥상으로 가는 계단 그는 열쇠를 휘휘 돌리며 내게 말을 걸었다.

"여름이라 조금 덥다."

"응. 근데 지운이 형은 몸의 체온이 낮아서 별로 안 더울 거 같아."

"아, 나? 아니, 나도 더위 좀 타. 체온이 낮은 건 어떻게 알았어?"

"형이랑 손잡았었을 때, 손이 좀 차갑더라고. 그래서 그냥 낮나 보다, 했었어."

"그랬구나."

그가 열쇠를 문에 꽂고 돌렸다. 옥상에 오니 확 트인 기분이 들었다. 오랜만에 보는 밤하늘이었다.

"오늘 정말 달이 예쁘다."

"너는 첫눈에 반한다는 말 믿어?" 그가 난간에 몸을 기대고 말했다.

"…음. 가능할 것 같아."

"그래? 너는 그런 적 있어?"

"아니, 아직."

확실하게 대답한 건지 의문이었다. 그를 보고 난 후 그에게 느끼는 감정이 단순히 우정이 맞는지 생각해 봐야 할 것 같았다.

"오늘은… 열대야가 아닌 거 같네. 어제만 해도 더웠었는데." 그가 조용히 말했다. "너 생일이 언제야?"

"12월 5일."

"흠… 그렇구나. 난 겨울이 싫었는데, 너 덕에 좋아진 거 같아."

"왜?"

"네가 이 세상에 태어났잖아."

"뭐?"

"농담이야."

"…응. 형은 생일이 언제야?" 별로 궁금하지 않았지만 질문했다.

"난 12월 6일. 우리 하루 차이다? 신기하지?"

"아! 그러네! 대박이야! 나 나랑 생일 이렇게 가까운 사람 처음 봐!" 내가 들뜬 목소리로 말했다. "근데 겨울은 왜 싫은 거야?"

"내 친구를 다신 보지 못하게 된 계절이야. 그런데 이제 그건 상관없어. 네가 태어났는데, 겨울이 좋아질 수밖에."

"놀고들 있네. 야, 유지운!" 옥상의 입구에서 강세연이 말했다.

유지운 그가 강세연을 발견하자 쯧, 하고 혀를 찼다. 표정이 순식간에 굳어버렸다.

"아니 이 새벽에 여기서 뭐 하고 있는 거야? 얼른 가서 안 자? 옥상은 새벽에 열지 말라고 했지!" 그가 분노하며 말했다.

"누나는 왜 안 자는데?" 유지운 그가 말했다.

"잠시 화장실 좀 가려다가 너희가 옥상 가는 문을 열어놨길래, 문 안 잠그고 간 줄 알고 온 거야. 그리고 유지운, 얘기 좀 하자."

"아, 난 할 얘기 없어. 그리고 나 지금 바빠. 누나랑 얘기할 시간 없어."

"잠깐이면 돼."

"싫은데. 나 현규랑 단둘이 할 얘기가 있어서 누나랑은 안 돼."

"아주 그냥 연인 납셨네." 그가 못마땅하게 말했다.

"그럼 나랑 현규는 자러 갈게. 누나도 얼른 자고. 열쇠는 누나도 가지고 있지?"

그가 나의 어깨에 팔을 두르고 출구로 향했다. 강세연은 못마땅하게 우리를 바라봤다.

　방에 들어선 우리 둘은 조금은 아쉬운 듯 방에 있는 소파에 몸을 기대었다.

　"담배 피워도 돼?" 그가 내게 말했다.

　"아, 담배 피워?"

　"옥상 가서 잠깐 피고 오려고 했는데, 그 누나가 와서 말이야. 여기서 피우는 거 싫으면 나가서 피우고 올게."

　"나는 상관없는데… 아직 우현이가 19살이니깐."

　"전우현을 정말 아끼는구나, 넌?"

　"아니, 미성년자한테 담배는 별로 안 좋으니까."

　그가 크게 소리 내며 웃었다. 넓지는 않은 방에서 그의 웃음소리가 울렸다.

　"담배는 누구든 안 좋은 건 마찬가지야. 그럼 너한테도 안 좋아질 테니까 나갔다 올게."

　"응."

　그가 이 방을 떠났다. 담배라니 아직 나의 주변에 있는 사람은 피우지 않으리라 생각하고 있었다. 그에게서 나던 냄새가 무엇인지 이제 살짝 알 거 같았다. 담배와 향수 냄새가 교묘하게 섞인 이상한 향이었다. 그런 냄새는 질색인데, 그다지 싫은 냄새는 아니었다.

　허리가 아프다. 이럴 때면 과거의 내가 자세를 바르게 앉았으면 했다. 아픈 허리를 끌고 침대에 몸을 던졌다. 욱신거리는 허리를 부여잡고 잠에 청했다.

10.

지옥 같은 하루가 또 지속되고 말았다. 어젯밤 아팠던 허리가 아직도 욱신거렸다. 침대에서 일어나 걸을 수 있을까 걱정됐다.

"형! 일어나셨어요? 어, 왜 그래요? 어디 안 좋으세요?" 그가 나의 창백한 얼굴을 보고 말했다.

"허리가 아프네. 여기 파스 같은 거 있으려나."

허리를 부여잡고 자리에서 일어났다. 그가 일어나는 나를 부축해주었다. 또 그랬다. 이렇게까진 필요 없는데 말이다.

"부축까진 안 해줘도 돼."

"그래도요. 아프시잖아요. 혼자서 걸으실 수 있으시겠어요? 작년에 학교 다니실 때도 아프셨잖아요. 그때부터 아프신 거예요?"

"아마도. 혼자서 걸을 수 있으니까 이거 놔도 돼."

"……네. 아 형. 같이 아침 먹으러 가요."

"응. 잠깐 씻고 올게."

"네! 같이 가도 돼요?"

"상관없어. 근데 지금 몇 시야? 핸드폰 배터리가 없어서."

"9시예요!" 그가 밝은 얼굴로 말했다.

"벌써…. 그럼 먼저 밥 먹으러 가 있어. 난 금방 씻고 갈 테니까. 원래 이 시간의 너라면 밥 다 먹었을 시간이잖아."

"형이라면 기다려 줄 수 있어요."

"아… 그래. 그럼 내가 빨리 씻고 올게."

“네! 아, 같이 가요 형!”

그가 나의 손을 덥석 잡았다. 그의 손은 왜 항상 차가운지 의문이었다. 아니라면, 나만 그렇게 느끼는 걸까.

세수를 마치고 거울을 바라봤다. 이런 나를 왜 이렇게 졸졸 쫓아다니는지 모르겠다. 나 말고 그 주현아와 잘 해줬으면 좋겠는데. 그가 화장실 문 뒤에서 멀뚱멀뚱 나를 기다리고 있었다.

“형, 허리 아프신 곳은 괜찮아요?”

그렇게 말하며 그가 나의 허리를 양손으로 잡았다. 아직은 찌릿찌릿하며 아프던 터라 그의 차가운 손길에 깜짝 놀랐다.

“아, 아 깜짝 놀랐잖아. 갑자기 만지면 어떡해. 아직도 아파.”

“그래요? 제가 안마라도… 역시 좀 그렇죠?”

“아니, 괜찮아. 오히려 안마받는 편이 나을 거 같아. 어제부터 아팠거든. 그럼 이따가 밥 먹고 부탁할게.”

“네! 좋아요! 배워두길 잘한 것 같아요. 진로 체험 때 배웠어요. 딱히 쓸 일은 없으리라 생각했는데, 있네요. 그것도 형이라니 좋네요.”

“응. 그럼 밥 먹으러 가자. 아침 먹기엔 너무 늦은 시간은 아니겠지.”

“당연하죠! 어서 가요.”

아침을 다 먹고 그의 안마를 받기 위해 침대에 누웠다. 막상 엎드려 누우니 그가 당황하기 시작했다.

“뭐해? 안 해줄 거야?”

"아! 해드려야죠! 막상 해드리려고 하니까 괜찮을까 싶어서….."

"당연히 괜찮아. 그럼 부탁할게."

"네, 네.

나의 위에서 그가 나를 안마 하기 시작했다. 투박한 손길이었지만 안 받는 것보단 나은 격이었다. 아… 역시 받는다고 한 건 잘한 것이었다.

"형 옷 좀… 들춰도 돼요? 아 그 다른 건 아니고 그 오해 하지 마세요! 허리 좀 보게요…. 오해하지 마세요…!" 그가 횡설수설하며 말했다.

"응. 오해 안 하니까 마음대로 해."

"아, 네!"

그는 나의 옷을 날개뼈까지 들춰냈다. 그의 손길이 하나하나 가련히 느껴졌다. 차가운 그의 손길에 몸이 움찔거렸다. 허리가 아파서일지도 모른다.

"차가워요? 죄송해요. 요즘 수족냉증이 더 심해지고 있는 거 같아요. 스트레스를 많이 받아서 그런가 봐요. 여름인데도 심하네요. 좀 나아요?"

"응. 조금 낫네."

"다행이네요."

끼익-

누군가 방에 들어왔다. 베개에 얼굴을 파묻고 있어 누가 온 것인지는 모르겠다만 발소리의 폭으로 유추해 본다면 유지운인 거 같다.

"어, 너희 뭐 해?" 역시 유지운이 맞았다.

"아, 아무것도 아니에요!! 보면 아시잖습니까!"

"옷을 반은 벗겨놓고 침대에서 말이에요. 이런 걸 보면 다른 사람은 그것밖에 생각 못 한다고요."

"그, 그거라뇨? 그냥 마사지하는 거예요! 형이 허리가 아프다고 해서 배웠던 거 해드리는 것뿐이에요! 이상한 생각 하지 마세요."

"무슨 소리– 이상한 생각이라니. 당신이나 이상한 생각 하지 마세요. 현규야, 허리는 왜 아파?" 그의 목소리가 귓가 바로 옆에서 들렸다.

"허리 디스크야. 그래서 아파." 얼굴을 옆으로 돌리고 말했다.

"마사지는 내가 더 잘하는데, 오늘 밤에는 내 침대로 올래?" 그가 나의 귓가에 속삭였다.

"…응."

아무것도 아닌 말에 얼굴이 달아올랐다. 나 자신이 이상하다고 느꼈다.

"형, 이제 좀 괜찮아지셨어요?" 그가 나의 침대에서 내려오며 말했다.

"응. 고마워. 이런 일까지 시키게 해서 미안해."

"아니에요! 미안하긴요! 형이 아프시잖아요! 얼른 나아야 할 텐데…."

"네 덕에 금방 나을 거 같기도 하네. 언제나 고마워."

디스크가 전부 낫는다는 건 말도 안 되지만 거짓말했다. 나의 말에 그는 자신의 입가를 손으로 가렸다. 얼굴을 붉어 터져버릴 거 같았다. 그는 이내 몸을 뒤로 돌려버렸다.

똑똑!

가볍지만 조금은 과격한 노크 소리가 들렸다. 유지운이 자신의 침대에 누워있다 문으로 걸어가 문을 열었다. 문이 열린 그곳에는 주현아가 있었다.

"그… 전우현 선배 보러왔는데! 안에 계셔?"

"아… 그래. 안에 있어." 유지운이 뒤를 가리키며 말했다.

"선배님! 잠시 얼굴 좀 봬요!"

"뭐? 내가 왜?"

"할 말 있으니까요…. 잠시만 나와주시면 안 돼요? 선배님-!" 그가 애처롭게 말했다.

"하………. 형, 잠시만 나갔다 올게요."

그가 주현아와 이 자리를 떴다. 둘은 정말 잘 어울리는 거 같다. 얼굴도 둘 다 예쁘고 잘생겼으니.

"현규야. 잠시 이리 와볼래?" 그가 자신의 침대에서 나를 불렀다.

"응? 아, 응. 왜?"

"편하게 내 침대에 앉아. 누워도 좋고."

"앉을게."

그도 나의 옆에 몸을 세워 앉았다. 그리곤 나의 어깨에 다시 팔을 둘렀다. 그리고 나의 귀 가까이서 말했다.

"쟤네 잘 어울리지?"

"응…."

"우리도 잘해보는 건 어때?"

"아… 아… 근데 같은 남자끼리…."

"뭐 어때? 남자끼리 요즘엔 다 하는 시대야. 어때? 나는 너 마음에 든단 말이야."

"…응. 그래. 잘해보자."

"넌 진짜 애가 귀여운 거 같아. 살아 남아줘서 고마울 정도야."

"좋은 뜻이지?"

"물론이지? 정말 내 이상형이야."

그가 내 입술을 살살 만졌다. 그의 손길에 흠칫 놀랐다.

"미안, 입술이 부드러워 보여서. 입술 관리라도 해? 각질 하나 없이 매끄럽네."

"아니. 유전이야. 우리 엄마가 입술이 예쁘셨어."

"뵙고 싶네. 이런 널 낳으신 분은 어떠실까. 팔 두른 거 무겁진 않았어? 미안해. 너처럼 체구도 작은 애한테."

"별로 안 작아. 형이 큰 거야."

또 그냥 형이라고 해버렸다. 이미 내뱉은 말에 혼자 아차 싶었다. 그가 뭐라고 할까 싶어 그의 얼굴을 바라봤다. 그는 내게 슬며시 미소 지어 보였다.

"형이라고 했구나. 지운이 형도 나쁘진 않은데. 나 향수 좀 고르는 거 도와줄래? 네가 좋아하는 향으로 뿌리게. 아 그리고 네게 립스틱도 하나 줄게."

"응? 웬 립스틱?"

"나중에 알려줄게."

그와 함께 이 방을 나섰다. 문밖에서 주현아와 전우현이 시끄럽게 떠들어대고 있었다. 대화의 내용은 보통 전우현이 화를 내거나 주현아가 자신의 로망을 얘기하는 것뿐이었다.

11.

명품매장으로 들어섰다. 평소 같았으면 꿈도 꾸지 못할 장소인데, 좀비 사태로 이렇게 드나들 수 있게 되다니 신기했다. 마음속한쪽이 썩 편하진 않았다.

"향수 향 좀 시향 해줄래?"

"이 향 좋다. 이거 맘에 들어."

"다른 건 맡아 보지도 않고?"

"이 향이 형이랑 잘 어울리는 거 같아서 좋은 거 같아."

"그래? 그럼 이 향수로 할까?"

"응."

"좋아."

그가 향수를 자신의 손목에 칙칙 뿌렸다. 그의 몸에서 좋은 냄새가 나기 시작했다.

"자, 너도 손목 줘 봐."

그에게 나의 두 손목을 냈다. 그는 그곳에 향수를 뿌려줬다. 나는 그 손목으로 아까 전 그를 따라 흉내만 냈다. 향수를 뿌려본 적이 없어 어색한 몸짓이었지만 그는 나를 흐뭇하게 바라봐 주고 있었다.

"이걸로 너랑 나랑 같은 냄새가 나네. 전우현이 알게 되면 화를 낼 게 분명한데 기분은 좋네. 아, 저번에 봐둔 립스틱이 있는데 그거랑 너랑 잘 어울릴 거 같아."

"남자가 립스틱도 발라?"

"당연하지. 이거야."

그가 내게 내민 립스틱은 연한 분홍빛을 띠고 있었다. 이런 건 여자만 바르는 줄 알았는데, 남자도 바르다니 의외였다.

"한 번 내가 발라줄게. 입술 내밀어봐."

나의 입술에 립스틱이 발라지기 시작했다. 발라본 적이 없어서 무거운 느낌이라도 들 줄 알았는데 아니었다.

"역시 잘 어울리네. 키스해봐도 돼?" 그가 평소와 다름없는 얼굴로 내게 말했다.

"뭐?"

"네 입술은 아무리 봐도 예뻐 보여서. 무리 안 해도 돼. 근데 이 말 참는 건 진짜 힘들었어."

"형이라면 괜찮을지도 몰라…."

"어? 거절하고 싶으면 거절해도 돼."

"아니, 난 그런 거 확실히 말하는 편이야. 형이라면 좋아."

지금 나의 얼굴을 보고 싶지 않았다. 안 봐도 뻔했다. 얼굴은 빨개져서 사람처럼 보이진 않을 것이었다. 다행히 나만 얼굴이 빨간 게 아니라 그의 얼굴도 꽤 붉었다. 내가 이런 말을 할 것이라곤 상상 못 했던 것 같다.

"그, 그럼 잠깐 이리 와."

12.

그가 나의 손목을 붙잡고 사람이 전혀 지나다니지 않을 거 같은 조용한 장소에 왔다. 그가 나를 벽으로 몰아붙이곤 나의 입술에 자신의 입술을 비볐다. 키스는 처음이라 어색했다. 그가 나의 얼굴을 애타게 쓰다듬어 주었다.

"안경, 안경 벗고 한 번만 더 하자. 그래도 돼?"

"…응."

내가 벗을 생각이었다만 그는 그대로 놔두지 않았다. 그가 나의 안경을 벗겨내고 다시 입을 맞췄다. 그가 자신의 손을 나의 허리에 올렸다. 전우현보다는 따뜻했지만 차가웠다. 얇은 옷이라 그렇게 느껴졌던 거 같다. 맨 살결에 닿으면 어떨지 상상이 됐다. 아! 이런 생각을 하는 내가 정말 변태 같다!

그가 입을 떼어내고 나의 눈을 뚫어지게 바라봤다.

"역시 넌 눈이 정말 예쁜 거 같아. 안아도 돼?"

"응. 상관없어."

그가 나를 꽉 껴안았다. 그의 목에선 아까 그 향수 냄새가 난다. 나의 품에 안겨 있는 그도 같은 생각을 하고 있을까. 그의 입술을 바라보니 아까 전 내 입술에 발랐던 립스틱이 번져 있었다. 그의 입술에 보기 좋게 번진 립스틱을 보자 나는 웃음을 참을 수가 없었다.

"왜 웃어?"

"형 입술에 립스틱 다 번져서 웃겼어. 형 입술이랑 안 어울린다 이 색."

"너도 다 번졌어. 너는 얼굴이 되니까 번져도 예쁘구나."

"얼굴은 별로 안돼. 얼굴은 우현이가 더 잘생긴 편이지."

"내가 저번부터 말했잖아. 너는 잘생긴 것보다 예쁜 쪽이라고. 아이돌 했었으면 인기 많았겠다. …그리고 아까 너 마사지 받고 있었을 때 허리… 보였는데, 엄청 얇더라? 허리 한 줌 같았어. 만져봐도 돼?"

"허리? 얇은 편은 아닌데…. 응."

그가 나의 옷에 손을 집어넣었다. 아까 전 상상하던 일이 실제로 일어났다. 그의 손길은 생각보다 차가웠다. 차가운 손에 몸이 찌릿찌릿했다. 허리를 만지는 그의 손짓이 간지러웠다. 간지럼은 잘 타지 않는데 이상했다.

"간지러워. 형, 형. 그, 만해."

"간지럽다고? 그럼 그만할게." 그가 의미를 알 수 없는 웃음을 하곤 말했다.

"이제 돌아가자. 다들 걱정할 거야." 내가 그에게 말했다.

"응. 그러자."

13.

그들의 보금자리로 돌아가기 전 나는 화장실에 들러 입술에 묻은 립스틱을 지웠다. 그도 같이 자신의 입술에 번진 립스틱을 지워냈다. 나의 몸에 밴 그의 향수 냄새는 어쩔 수 없었다.

그들이 있는 곳으로 다시 돌아갔다. 그다지 오래 있었던 건 아닌 거 같은데, 시간이 꽤 지난 거 같았다. 잠깐 자리를 비운 사이 새로운 변화가 있었던 거 같다. 전우현의 머리가 금발이 되어있었다. 잠깐 자리를 비운 사이 탈색을 한 거 같다. 그의 어두운 피부색과 대비 되어 더욱 눈에 띄었다.

"형! 저 탈색 했는데 어때요? 잘 어울려요?"

"응. 잘 어울리네. 갑자기 근데 왜 한 거야?"

"그냥요. 제 머리가 너무 어둡잖아요. 그래서 눈에라도 띄려고요. 형, 향수 뿌렸어요?" 그의 얼굴이 한순간에 어두워졌다.

"아, 어, 응."

"잠깐 지나친 저 사람이랑 같은 냄새가 나네요? 같은 향수 뿌렸어요?" 전우현이 유지운을 바라보며 말했다.

"…응."

"아…… 그래요. 내일은 제 향수 뿌리실래요? 예전부터 좋아하던 향이 있어요. 괜찮으시다면요."

"괜찮아. 사실 향수는 머리 아파서 안 뿌려. 이 향수도 내가 원해서 뿌린 거 아냐."

"그래요? 알겠어요. 저녁 같이 먹어요, 형."

"응."

그의 눈은 조금 화가 나 보였다. 왜 화가 났는지는 잘 모르겠지만, 유지운 때문인 건 확실히 알겠다. 그는 처음부터 유지운을 마음에 들어 하지 않았다. 내가 그와 키스 했다는 사실조차 알게 된다면 그는 기절할지도 모르겠다.

"저기, 민현규 선배." 내게 말을 걸어온 건 반채희였다.

"아, 응? 왜?"

"귀 좀 대주세요."

"응."

귀를 가까이 대니 그가 작은 목소리로 말하기 시작했다.

"제가 아까 우연히 본 건데요. …유지운 오빠랑 키스하셨어요? 볼 생각은 없었는데…."

그의 말을 들은 나는 화들짝 놀라 몸 둘 바를 몰랐다. 나는 딸기같이 붉어진 얼굴을 놔두고 애써 침착한 척했다. 전우현은 그런 나의 모습을 보고 의아해했다. 별로 친하지도 않은 여자애에게 그런 모습을 들키다니! 키스를 하던 내가 너무 짐승 같진 않았는지 심장이 두근거렸다. 아아! 아무리 다시 생각해도 그 순간에는 좋은 기분이 들었다는 것밖에 떠오르지 않는다.

"걱정하지 마세요. 제가 말하고 다니진 않을 거예요. 특히 전우현 선배한테는 더요."

"…응. 고마워." 개미와 같은 목소리로 그에게 말했다.

"형, 쟤가 뭐라고 했어요? 뭐라고 했길래 얼굴이 그렇게 터질 거 같이 되셨어요?"

"아무것도 아니야."

"다들 여기 있었구나. 곧 회의 시간이야. 어서 옥상으로 올라
와." 강세연이었다.

"회의라뇨? 무슨 말이에요?"

"이틀에 한 번씩은 이곳을 탈출하기 위해 회의를 열기로 했어.
대한민국에 우리만 남은 건 아닐 거 아냐. 그래서 회의도 하고, 그
리고 이 동네를 순찰하기로 했어." 강세연 그가 이어 말했다.

"형 옥상 같이 가요. 저 한 번도 옥상으로 가본 적이 없어요."

"아, 그래."

"민현규 선배, 저희 같이 가실래요?" 반채희가 내게 다급히 권
했다.

"아니… 나 우현이랑…."

그가 눈으로 전우현을 흘긋 쳐다보곤 내게 윙크를 했다. 아! 드
디어 이해했다. 전우현과 주현아를 붙여놓으려는 계획인 거 같았
다. 나도 그 둘이 잘 됐으면 좋기에 반채희의 말을 받아들였다.

"미안해 우현아. 나 아까 채희랑 얘기하던 거 마저 얘기해야 해
서…. 먼저 현아랑 가 있어."

"싫어요. 형 기다릴게요. 제가 듣는 게 싫으시다면 다른 방에
가 있을게요." 그가 나를 무서울 정도로 노려보며 말했다.

"아니, 너 먼저 현아랑 가. 나는 중요한 얘기라서, 누가 근처에
있는 건 좀 그렇네."

"…아, 저랑 쟤랑 엮으려고 그러시는 거예요? 형도 진짜 너무

하시네요. 그냥 저 혼자 갈게요. 저런 주현아 따위랑…. 제가 주현아 안 좋아하는 것도 알고 계시잖아요. 형, 너무 하세요." 그가 작은 한숨을 쉬고 말했다.

"그건 아니, 우현아."

그가 빠른 걸음으로 자리를 떠나 버렸다. 그의 근처에 있던 주현아는 어쩔 줄을 몰라 당황한 듯한 얼굴로 떠나간 전우현의 뒤통수를 바라봤다.

"우현 선배가 하신 말은 속상하긴 하지만… 드디어 제 이름을 불러주셨어요! 아 어쩜… 너무나 좋아라…."

그는 정말로 행복해 보였다. 사랑이란 정말 위대한 거 같다. 주현아 '따위'라고 했는데, 어떻게 기쁠 수 있는 걸까.

14.

"회의를 시작하기 전에, 안내 사항이 있어. 이번에 새로 온 전우현과 민현규. 그 둘은 이번 회의를 잘 들어주길 바라."

나는 그의 말에 고개를 끄덕였다. 나의 옆에 앉은 전우현은 듣는 둥 마는 둥 하였다. 전우현은 아까 전 있었던 일 때문인지 내게 감정 상해 있는 듯했다.

"얼마 전 다녀왔던 병원에선 해독제 같은 건 발견하지 못했어. 그다음으로 우리가 가볼 곳은 처음으로 좀비가 나온 곳, 그 골목길 쪽을 조사해볼 거야. 저번에 다녀온 게 현아랑 채희지?" 강세연이 말했다.

"응." 반채희가 대답했다.

"그럼 이번엔 나랑 현규가 다녀올게." 유지운이 나지막이 말했다.

"아뇨, 저랑 현규 형이랑 다녀오겠습니다. 저희가 새로 왔으니까 저희가 갈 필요가 있다고 생각합니다. 그러니, 저희 둘이 갈게요. 그 골목길도 저희가 잘 아는 길이고요."

"그래, 전우현이랑 현규가 다녀오자. 멀쩡히 돌아오길 빌게. 당장 내일 다녀오면 돼."

"네." 내가 그들에게 말했다.

전우현은 성취감에 가득 찬 얼굴을 하고 있었다. 유지운은 아무 표정이 없었지만, 기분이 썩 좋아 보이진 않았다. 유지운, 그의 이름을 머릿속에서 되새겼다. 계속 생각해보아도 그의 이름과 그의 얼굴은 정말 잘 어울리는 것 같다. 아… 지운, 정말 잘 어울리는 것 같아.

"회의는 어땠어?" 유지운이었다.

"아직 잘 모르겠는데, 그냥 그랬어."

"그래? 다음 회의는 내가 할게. 우리 밥 먹으러 가자. 저녁."

그가 나의 어깨에 팔을 둘렀다. 그의 손목에서 향수 향이 은은하게 났다. 약간의 담배 냄새도 섞여 있었다. 이런 그의 냄새마저 마음에 들었다. 아, 이젠 나도 나의 감정을 모르겠다.

"저녁 뭐 먹고 싶어?"

"아무거나 괜찮아."

"내가 요리할까? 잘하지는 못하지만, 너를 위해서 해볼게." 그가 자신의 얼굴을 내게 가까이 들이대며 말했다.

"어, 응."

"나 스테이크 잘 구워. 스테이크 좋아해?"

"좋아해. 형은?"

"당연히 좋아하지. 그럼 지하로 가자. 어깨 무거웠지? 미안, 손이라도 잡자."

그가 나의 손을 잡았다. 우현이와는 다른 느낌이었다. 그의 손은 차갑다. 이 손으로 나를 위한 요리를 해준다고 생각하니 조금 짜릿했다.

15.

지하에 도착했다. 지하에서만 느낄 수 있는 이 공기를 난 잊지 못할 것이다. 아니면 그와 함께 있어서 잊지 못하는 것일까. 그에게 내가 이런 생각을 하는 것을 들키게 된다면 정말 죽고 싶을 것이다. 잠깐 상황을 상상하는 지금도 얼굴이 터져버릴 거 같다.

"고기는 어디서든 구할 수 있어서 다행이다. 요리는 잘하지는 못하지만, 열심히 노력해볼게."

"고마워."

"너를 위해서라면 뭐든지 할 수 있어."

"그 말 정말 신기하다. 어떻게 나를 위해 뭐든지 할 수 있어? 고작 이런 나를 위해서?"

"고작이라니. 그런 말 다시는 하지 마." 그가 조금 목소리를 깔며 말했다.

"아… 알겠어."

"장난이야. 자리에 앉아서 잠시만 기다려."

주방에서 앞치마를 매는 그가 보였다. 그의 손은 깔끔하게 정돈되어 있었다. 손톱은 짧아 가지런했다. 연구를 위해 펜을 많이 들었던 것인지 중지의 끝에는 살짝 패인 자국이 있었다. 그것도 매력 있었다.

더운 여름에 뜨거운 불 앞에서 고기를 굽는 그는 꽤 더워 보였다. 그의 목선을 따라 흐르는 땀방울이 거슬렸다. 덥수룩한 그의 머리카락이 그의 목을 덮어 더웠던 것이겠지. 당장이라도 주방에 달려가 그의 머리를 잡아주고 싶었다.

"자, 맛있게 먹어."

그가 내게 스테이크를 내밀었다.

"고마워."

그는 머리끈으로 자신의 덥수룩한 머리를 하나로 묶었다. 머리를 묶은 모습도 잘 어울리는 거 같았다. 그저 그라서 잘 어울려 보이는 것일 거다.

"왜 안 먹어? 배 안 고파?"

"아 아냐. 이제 먹을 거야."

"왜, 머리 묶으니까 안 어울려? 풀까?"

"아니, 잘 어울려. 진짜 너무… 잘 어울려."

"너랑 나도 잘 어울리는데. 너도 그렇게 생각해?"

그가 책상에 올려진 나의 오른손을 잡으며 내게 말했다. 그에

대한 마음을 아직 잘 모르겠다. 그를 좋다고 느끼는 것인지 아닌지 잘 모르겠다. 사랑이라고 믿어도 될까.

"…잘 어울릴 것 같아." 혀끝에서 맴돌던 말이 드디어 터져 나왔다.

"행복하다. 어서 먹어."

그의 말에 따라 스테이크를 한 입 베어 물었다. 스테이크는 맛있었다. 돈이 많은 집안이 아니어서 이런 제대로 요리된 스테이크는 처음 먹어봤다.

"설거지는 내가 할게, 형."

"아니, 내가 할게."

"아냐, 형이 요리했으니까 내가 치울게."

"네 손이 상하기라도 하면 어쩌려고. 나는 손이 상하든 말든 아무렴 상관없어. 너인데 당연히 해줄 수 있는 일이야."

"아, 그래도, 형!"

그가 나의 앞에 있던 스테이크 접시를 치워갔다. 그 빠른 손길을 나는 눈으로 좇을 수밖에 없었다. 그는 콧노래를 살살 부르며 설거지를 하기 시작했다. 그런 그를 가만히 바라보고만 있을 순 없어 그의 곁에 다가가 그의 허리춤을 꼭 껴안았다. 껴안을 생각은 아니었다만, 이것 말고는 도저히 떠오르는 게 없었다. 그를 껴안자 그의 올곧은 척추뼈가 적나라하게 느껴졌다. 몸이 상당히 마른 거 같다. 얇은 옷 위로 드러나는 그의 뼈는 그를 더욱 연약해 보이게 만들었다.

"형, 되게 말랐네."

"응. 연구하면서 밥을 잘 안 먹었어. 아마 채희랑 현아도 날 보고 웬일로 밥을 먹었냐고 할 거야."

"그 정도야?"

"응. 근데 이젠 너도 있고 하니, 밥 좀 먹으려고. 네게 이런 모습만 보일 순 없잖아."

유지운. 그는 착한 것 같다. 아니 착하다. 나에게만 착한 것일까. 내게만 그런 거라면 좋겠다. 오직 나를 위해서만.

16.

어느덧 고요한 밤이 찾아왔다. 예전 같았다면 차들이 지나다니는 소리로 늦은 저녁인데도 시끄러웠을 것이다. 현재는 작은 짐승의 울음소리조차 들리지 않는다. 이런 생활에 익숙해져 나중엔 자동차의 소리가 얼마나 크게 들릴지 걱정이 돼가고 있었다.

방에 있던 소파에 앉아있자 전우현이 방문을 열고 들어왔다. 그리고는 나를 보며 나지막이 말했다.

"현규 형." 전우현이 나지막이 나를 불렀다.

"응."

"요즘에 형이 잘 안 보여요. 저의 시야에서 형이 없어지니까 두려워요."

"그래? 나는 별로 의식 못 했는데."

다시 생각해보니 그가 별로 보이지 않았던 거 같다. 요즘까진

67
구원자

아니고 오늘이지만.

"현규야." 유지운 나의 옆에 앉아 작은 목소리로 말했다.

"응, 형. 왜?"

"잊은 건 아니지?"

"뭘?"

"이따 우현이 잠들었을 때 내 침대로 와." 그가 나의 귀에 작게 속삭였다.

같은 방에 있던 전우현은 표정이 뚱해 있었다. 아마 자신을 빼고 얘기를 해서 그런 것일 거다. 그의 성격은 변함없다는 점이 은근 귀여운 거 같다.

전우현은 오늘따라 뒤척이다 이내 잠이 들었다. 불안해서였을까. 어제와 마찬가지로 오늘도 그의 숨소리는 일정했다. 더운 여름임에도 어깨 끝까지 올려 덮은 이불마저 어제와 같다.

"현규야. 우현이 잠들었는데, 언제 오려고?" 그가 다정한 목소리로 내게 말했다.

나는 아무 말 없이 그의 침대로 가 그의 자리에 엎드려 누웠다. 그는 나를 보며 입꼬리가 귀에 걸릴 듯 웃었다.

"옷 좀 올릴게."

"응…." 베개에 얼굴을 파묻고 말했다.

긴 손가락이 하나하나 나의 허리를 누르기 시작했다. 체중을 꽤 실어 안마를 하는지 조금 힘겨웠다.

"형, 살살…."

"………어. 이 말 되게 야하네."

"어느 부분이?"

"…아니야."

그의 손길 덕에 안 오던 잠이 올 것만 같았다.

아, 하고 신음이 새어 나왔다. 그가 누른 곳이 엄청나게 고통스러웠다. 그도 당황했는지 그의 손가락들이 멈췄다.

"괜찮아…? 내가 잘못 짚었나 보다…. 미안해. 어쩌지…?"

"괜찮아. 신경 쓰지 말고 계속해줘. 안 해주는 것보단 해주는 게 훨씬 괜찮으니까."

"미안…."

그는 죄책감 때문인지 아까보다 열정적으로 안마를 이어갔다. 전문가처럼 대단한 효과가 있는 건 아니지만 이 정도면 며칠간은 괜찮을 거 같다.

"형, 이제 그만해줘도 될 것 같아."

"응. 그래. 내가 잘못 짚은 곳 아프면 다시 얘기해."

"알겠어. 고마워."

"아, 잠깐만…. 키스 한 번만 하면 안 될까?"

"우현이가 있는데…?"

"자고 있잖아. 괜찮을 거야. 해도 돼?"

"어, 응…."

그가 나의 안경을 벗겨내고 조심스럽게 입을 맞췄다. 그것으로 끝이었다. 생각한 것보단 짧은 키스 시간에 나는 응? 하고 작은 소리를 냈다. 그 소리를 들은 그는 큭, 하며 웃었다.

"왜, 왜 웃어!"

"더 할 줄 알았어?"

"아니 그야… 아까 했을 때는 더 길게 했었고… 당연히 키스라 길래 좀 더 오래 할 줄 알았는데…. 아! 몰라! 키스도 아니고 그냥 입맞춤, 뽀뽀잖아…."

"더 할까?"

"더하긴 뭘 더해! 더 안 해도 돼."

"삐진 거야? 이리 와. 제대로 해줄게." 그가 내게 팔을 벌리며 말했다.

"싫어. 이제 형이랑 키스 안 할 거야."

"놀려서 그래? 미안해, 한 번만 더 하자. 내가 하고 싶어서 그래. 응?"

"싫어!"

"나랑 키스 안 한다는 거 절대 못 할걸? 너 키스하는 거 좋아하잖아. 그리고 키스하고 싶을 때마다 누구랑 하게?"

"…그러네. 그럼 마지막이야."

"응. 고마워."

그의 무릎에 앉아 그의 입술에 나의 입술을 뭉갰다. 나의 허리를 지탱하던 그의 손이 점점 나의 옷 안으로 들어왔다. 그의 손을 필사적으로 막아봤지만 마음대로 되진 않았다. 그의 손 때문에 느슨해진 그때, 말캉한 무언가가 입안으로 들어왔다. 혀였다. 그의 혀는 나의 입안을 헤집고 다녔다. 그의 혀를 피해, 입을 떼어냈다. 처음엔 그도 의아하다는 표정이었다. 분명 잘하고 있었는데… 라는 생각이 얼굴에 그대로 쓰여있었다.

"뭐야? 나 혀 넣은 키스 같은 건 해본 적 없어."

다시 생각해보니 그와 나눴던 키스가 나의 첫 키스였다. 여자와의 키스도 아니고 남자와의 구석진 곳에서 나눈 게 첫 키스라니! 레몬 맛이 느껴지지도, 종이 울리는 소리가 들리지도 않았다. 첫 키스가 20살이면 늦은 건가… 하고 뒤늦게 자각했다.

"혀 넣으면 이젠 나의 혀에만 익숙해질 테니까 넣어본 거였는데, 별로였어?"

"…아니, 그건 아니고…."

"그럼?"

"내 첫 키스가… 형이어서."

"너의 첫 키스가 나야? 와 다행이네-. 네가 다른 사람이랑 해봐서 나랑 한 건 되게 못한 것처럼 느껴지면 어쩌지 걱정했었어. 다행이다. 이대로 너의 마지막 키스도 나였으면 좋겠다. 너의 모든 것의 처음을 나로 만들고 싶네."

털이 쭈뼛쭈뼛 서는 느낌이 들었다. 그를 눈이 커진 채 바라봤다. 나를 바라보는 그는 능청스러운 미소를 지어 보이고 나의 목에 입을 살짝 맞췄다. 나는 마른 침을 꿀꺽 삼키곤 그의 무릎에서 내려왔다. 그가 입 맞춘 목을 살살 만지며 나의 침대로 향했다.

"잘 자. 현규야."

"잘 자, 지운이 형."

하루가 막을 내렸다.

17.

전우현과 도끼를 들곤 그 골목길로 향했다. 그곳엔 그 아이의 시체가 남아있을까 몸이 살짝 떨렸지만, 막상 그곳에 도착해보니 그의 시체는 무슨, 파리 한 마리도 보이지 않았다. 길거리엔 시체가 부패 되는 냄새조차 나지 않았다. 아무래도 좀비들은 배가 고프면 시체라도 먹는 거 같았다. 그 골목길엔 특별해 보이는 건 없었다. 정말 평범한 골목길이었다. 전우현도 특별한 건 발견하지 못한 것 같다. 난 그의 등을 톡톡 치곤 그에게 돌아가자고 손짓을 했다. 그도 제대로 알아들은 것인지 나의 손을 꼭 붙잡고 좀비들의 사이를 지나갔다.

다시 백화점으로 들어선 나와 그는 한숨을 크게 내쉬었다. 다시 소리를 낼 수 있는 곳으로 오게 되어 마음이 진정됐다. 말을 하지 못하니 밖에선 입이 근질거려 죽는 줄 알았다.

"우와아… 무사히 다녀와서 다행이네요."

"그러게. 좀비들은 가까이서 보면 정말 무섭게 생겼네. 멀리서 봤을 땐 징그럽게 생겼다고만 생각했는데."

"그러게요. 형 조심해요….."

"너도. 다치지 말고."

"네!"

3층으로 가는 엘리베이터에 몸을 실었다. 이런 위급 상황에선 쓰지 않는 게 맞지만, 나의 몸이 쓸데없이 지쳐버리고 말았다. 손에 쥐어진 도끼는 이상하리만치 무거웠다. 아무리 날이 좋은 도끼라지만, 꽤 무거웠다. 도끼는 원래 이렇게 무거운 건가, 의아하다.

3층에 무사히 도착하고 문이 열리자마자 보인 건 강세연이었다. 그는 가슴까지 오는 살짝 긴 머리를 늘어뜨리고 민소매 옷을 입고 있었다. 그의 이런 모습은 처음 봐 당황스러웠다. 평소의 그는 머리를 높게 묶었고, 안경을 쓰고 있었다. 그리고 매일 긴소매 옷을 입고 있었다. 오늘의 그도 안경을 쓰고 있긴 하지만, 그가 팔을 드러내는 걸 본 건 처음이다.

"어, 뭐야. 좀 늦을 줄 알았는데, 되게 빨리 왔네."

그의 옷이 짧아 살짝씩 보이는 허리춤부터 그의 빗장뼈까지 문신이 이어져 있었다. 장미의 줄기 부분이 길게 그려져 있었다. 그리고 반대쪽 빗장뼈 아래는 새하얀 장미가 그려져 있었다. 보수적으로 보였던 그가 이런 모습이 있을 줄 몰랐다.

"누나, 문신하셨어요?"

"응, 한 지 8년 됐나? 내가 스무 살 되자마자 했거든. 벌써 나이도 이렇게 먹다니, 늙었다….."

"누나 28살이에요? 전혀 그렇게 안 보여요! 진짜 많아봤자 25살로 보이는데요."

"사회생활 잘하는구나. 고마워!"

"아니 사회생활이 아니고 진짜요. 누나 진짜 어려 보여요."

"그래? 누나가 오늘 요리해 줄까?"

"아 괜찮아요! 지운이 형이랑 먹기로 했어요. 그리고 저 때문에 누나 고생시키는 것도 좀 그렇잖아요."

"넌 진짜 애가 순수하니 귀엽구나. 지운이랑 요즘 잘 지내는 거 같아서 좋네. 지운이가 학교 다닐 땐 친구가 한 명밖에 없어서 걱정했거든."

"아… 그래요? 근데 누나랑 형은 무슨 사이에요?"

"약혼자였지. 근데… 여러 일이 있어서 파혼했어. 사실 우리 둘이 서로 사랑하지도 않았고, 양쪽 둘 다 원치 않은 약혼이었으니까. 오히려 잘 됐어."

유지운의 약혼자였다니… 부럽다고 생각해버린 나 자신이 미워졌다.

"아! 현규야!"

그제야 방에서 나온 그는 나를 뒤늦게 보고 내게 달려왔다. 그는 우리 둘이 대화 나누는 걸 별로 신경 쓰지 않는 거 같았다.

"되게 빨리 왔네. 뭐 찾은 건 있어? 그 전에 어디 안 다쳤지?"

"당연하지. 소리만 안 내면 괜찮잖아."

"맞긴 하지. 그럼, 뭐 발견했는지 얘기해줄래?"

"거기서 발견한 건 아무것도 없어. 전부 없어져 버리고 난 후였어. 예전에 그곳에서 죽었던 사람들의 시체도, 시체가 부패 돼서 나는 그 썩은 내도 전부 없었어. 좀비들이 시체도 먹는 걸 깨달은 것뿐이야."

"그렇구나, 그건 내가 노트에 적을게." 강세연이 말했다. "전우현은 어디 있어?"

"지하로 갔어요. 배가 고프다고 했어요."

"거기 현아 있는데, 잘 됐다. 둘이 언제 사귀지?"

"근데 우현이는 현아를 별로 안 좋아하는 거 같았어요. 아니 싫어하는 거 같았어요."

"그래도 현아는 끈기가 강하니깐 언젠간 사귈 수 있을 거 같아. 이 세상이 끝나기 전에 사귀었으면 좋을 텐데."

유지운 그가 강세연 몰래 나의 손을 잡고 옥상으로 끌고 갔다. 옥상에 있는 벤치에 몸을 기대었다. 유지운도 나의 옆에 앉았다.

"키스할래."

"이젠 해도 되냐고 묻지도 않네, 형."

"너도 좋아하는 거잖아."

"응…."

그가 나의 얼굴을 낚아채고 입을 맞췄다. 옆에 있는 작은 풀밭에선 풀벌레들이 우는 소리가 들렸다. 이런 풍경과 소리 속에서 키스하는 건 꿈도 꾸지 않았다. 다시 곱씹어보니 유지운과 나는 만난 지 겨우 3일밖에 안 됐다. 그런데 이렇게 키스를 하고 손을 잡는 건 무슨 사이지? 사귀는 사이도 아닌데.

"현규야."

"응."

"너는 내가 이 세상에 사라져도 나를 잊지 마."

"당연하지. 형을 어떻게 잊겠어. 내 첫 키스 상대가 형인데…."

"아?" 그가 무릎을 치며 웃었다. "그런 것으로 기억하다니, 너 진짜 귀엽다."

"무슨 소리야. 전혀 아니야."

"그렇게 생각해. 너, 네 목 뒤에 점 있는 거 알아? 되게 야해 보이는데.”

“그게 왜 야해! 진짜 변태다!” 내가 목소리를 높여 말했다.

“뭐 어때. 우리 서로 못 볼 거 다 보지 않았나?”

“아직이야!”

“아직? 그럼 언젠간 볼 거라는 소리네?”

말실수해버렸다.

18.

민현규는 정말 야하다. 내가 변태인 건 아니고. 아… 맞나. 그건 나중에 다시 이야기하도록 하고. 민현규는 생긴 것부터가 야하게 생겼다. 길게 뻗은 속눈썹이며 뽀얀 피부마저, 그 모두가 야하다. 나의 코 정도 오는 그의 키 덕에 나를 올려다봐야 하는 그도 야하다. 목 뒤에 있는 점은 또 어떤가. 신이 정말 잘 빚은 도자기인 것 같다. 완벽한 인간이다. 이런 사람과 키스를 하며 지낼 수 있다는 거에 다시 한번 감사하다.

그는 키스할 때 눈을 꼭 감는 게 정말 귀엽다. 내가 이렇게 눈을 뜨고 있는 건 그는 모르겠지. 이런 그와 키스 할 때마다 강세연 누나와 파혼하길 잘했다고 생각한다. 좋은 일은 아니었지만. 동성 결혼이 합법화된다면 그와 결혼 하고 싶다고 생각했다.

강세연 누나는 우리가 옥상에 있는 걸 좋아하지 않는다. 이유는 잘 모르겠다. 그와 나는 한참을 옥상 벤치에 앉아있다 해가 져 어둑어둑해질 때쯤 다시 3층으로 돌아갔다.

3층에서 우현이를 만났다. 우현이는 주현아와 대화를 나누고 있었다. 우현이는 나를 보면 내게로 달려올 것이 확실했기에 몰래 그를 피해 지하로 갔다.

지하엔 반채희가 있었다. 반채희는 나를 보자마자 나를 뒤따라오던 유지운을 번갈아 봤고 나의 시선을 느끼자 그는 눈을 피했다. 나라도 반채희의 키스 장면을 목격한다면 그럴 것 같아 이해했다.

"현규야⋯."

"응? 왜?"

"오늘 나랑 같이 자면 안 돼?"

"같은 방에서 자고 있잖아."

"아니, 같은 침대에서."

"괜찮아? 안 좁아?"

"응. 너는 말라서 괜찮아. 체구도 작고."

"우현이가 기분 나빠하면 어떡해? 우현이는 나랑 형이랑 같이 다니는 것도 안 좋아하는 거 같던데."

"그렇게 남의 시선에 맞출 필요 없어."

"그건 맞지만, 그래도 셋이서 같이 쓰는 방인데 둘이서 같은 침대에서 자면 한 명이 좀 그렇지 않아?"

"전우현은 안 그렇게 안 느낄 것 같은데."

"그럼 나중에 같이 자자. 우현이랑 형이랑 사이가 좋아졌을 때. 지금은 둘이 사이도 안 좋고, 같이 자는 건 좀 그런 거 같아."

"⋯알겠어." 그가 아쉬운 듯한 표정을 하고 말했다.

지하에 온 이유를 까맣게 잊고 있었다. 오늘은 가볍게 볶음밥을 해 먹으려고 했다만, 입맛이 없다. 그에게는 입맛이 없다고 하지 않을 것이다. 그가 듣는다면 화를 내겠지. 이렇게 안 먹으니 말랐다고 호통칠 것이다. 별로 마르진 않았다. 평범한 몸매이다.

결국엔 저녁밥을 먹지 않았다. 저녁밥을 먹어봤자 게워낼 거 같았고, 위장이 늘어날 뿐이라고 생각했다. 이런 시기에 위장이 늘어나는 건 정말 끔찍한 일인 거 같다.

저번에 키스를 처음으로 했던 그 골목에서 또 그에게 허리를 만져지고 있다. 그다지… 원하지 않았다.

"밥도 안 먹으면서 이게 마르지 않은 몸매라고? 웃기고 있네. 그럼 나는 얼마나 뚱뚱한 거야."

"무슨 소리야. 형도 마른 거 같은데."

"얼마 전까지는 그랬지만, 너 만나고 나서 살도 찌우고 근육도 그렇고. 네 허리는 아무리 봐도 남자치곤 얇네. 내가 널 야하다고 하는 이유 중 하나야. …진짜 야하다."

그가 나의 허리를 더듬더듬 더듬었다. 오늘도 역시나 손이 차가웠다. 최근 둘만 있는 시간이 늘어난 거 같다. 우현이가 서운해하진 않을까 걱정되었다.

"너 또 우현이 생각하고 있지?"

"어?! 아니!? 어떻게 알았어?"

"얼굴에 우현이 생각하고 있어요, 라고 다 쓰여있는데 뭘. 나랑 있을 땐 내 생각만 해 줘. 난 안 그래도 온종일 네 생각만 하고 사는데, 너는 아냐?"

"나도 형 생각하고 살지…. 근데 요즘 너무 우리 둘만 붙어있는 것 같아서 우현이한텐 내가 너무 소홀했거든. 그래서 우현이가 속상할 거 같다고 생각하던 참이었는데…."

"아 그랬어?"

그가 나의 목을 깨물었다. 순간 정말 깜짝 놀랐다! 무슨 짐승도 아니고 갑자기 이렇게 물어버리다니! 나의 목엔 그의 잇자국이 남았다.

"뭐, 뭐 하는 거야?!"

"유지운의 표식이야. 지워지지 않게 지워질 때마다 다시 깨물어줄게. 이게 남아있는 동안은 전우현 생각하지 마."

"뭐…? 그렇다고 이렇게 잘 보이는 곳에 잇자국 남겨버리면 어떡해!"

"너도 그렇게 얼굴에 뻔히 드러나게 전우현 생각하면 어떡해! 네 앞에 있는 사람 무안하게."

"아니 우현이가 보면 나를 어떻게 생,"

"전우현 생각부터 하지 말라니까. 난 걔 싫다고. 처음 만날 때부터 나한테 했던 짓 생각하면… 걔 떠올리기도 싫어." 그가 나의 말을 끊고서는 말했다.

"그건 걔가 잘못하긴 했지만, 둘이 언제까지고 사이가 나쁠 순 없잖아."

"그럼 키스 한 번만."

"그거랑 이거랑 무슨 상관인데?"

"키스하게 해주면 전우현이랑 화해할게. 물론 내가 먼저 사과할 테니까."

　"…약속이야."

　"응."

　그가 평소보다는 과격하게 키스했다. 아까 전 물렸던 목이 후끈거렸다. 그는 나의 목을 쓰다듬으며 나의 얇은 옷 안으로 손을 집어넣었다. 집어넣었다기보다는 이미 있던 손을 더 깊이 넣은 것인 거 같지만 말이다. 그와 키스할 때만큼은 기분이 좋은 것같다. 눈을 감아 아무것도 보이지 않은 채 오직 그에게 몸을 맡긴다는 것이 더 몸을 달아오르게 했다.

　"현규야."

　"응…."

　"나 너 좋아해."

　"어? 아?! 뭐!?" 순간 사고가 정지됐다.

　"…미안, 너무 뜬금없었지." 그가 기가 죽은 채 말했다.

　"아 아냐! 나도 형… 좋아하는 것 같단… 말이야."

　그가 나를 얼굴이 빨갛게 달아오른 채 바라봤다. 그리고 유성우 같은 눈물들이 흘러내렸다. 그가 두 손으로 자신의 얼굴을 가리고 바닥에 주저앉은 채 아이 같이 엉엉 울었다. 나는 그를 바라보며 당황하여 어쩔 줄 몰라 우왕좌왕했다.

　"미안, 좋아하는 사람한테 이런 말 들은 거, 오랜만이라 기뻐서. 미안해, 진짜 미안해. 너무 행복해서… 미안해."

　"미안할 게 뭐 있어."

그와 같이 바닥에 앉아주었다. 그가 살포시 나의 손을 잡았다.

19.

보름달이 떴다. 그 보름달에 소원을 빌었다. 소원은 말하면 이
루어지지 않는다는 말이 있으니 그 소원이 이루어지게 된다면 말
해주겠다. 오늘 뜬 보름달은 정말 밝았다. 크고 예뻤다. 강세연의
눈을 피해 옥상에서 몰래 보름달을 훔쳐봤다. 아름다운 달이었다.

우현이와 둘이서 옥상에 있는 벤치에 앉았다. 그는 쏟아지는 별
을 바라봤다. 그는 왜인지 슬픈 얼굴을 하고 있었다.

"형, 저… 요즘 죽고 싶어요. 인생이 지루해요."

"응? 왜 갑자기 그런 생각을 하는 거야?"

"그냥… 이 좀비 사태 이후로 엄마도 잃고 많은 사람을 잃었어
요. 그중에 형도 있어요. 형은 여기 온 후로 유지운이라는 사람이
랑만 다니잖아요. 그래서 속상해요. 오늘 절 보시고도 못 본 척 지
나가신 것도 봤어요. 그래서 그때 얼마나 울컥했는지 아세요? 제
가 형에게 뭘 잘못했다고 착각했었어요. 왜… 요즘 저랑 대화도
잘 안 나누시는 거예요? 일부러 그러시는 거예요?"

"일부러 그러는 게 아니라, 주현아랑 너랑 대화 나누고 있었으
니까 혹시라도 내가 너희한테 방해라도 될까 봐 그냥 간 거야. 너
도 나한테 말도 안 걸었잖아. 그렇지?"

"그야 말을 걸어봤자 형이랑 별로 대화를 못 나눌 테니까 그런
거죠! 형, 생각해봐요. 제가 여태까지 형한테 말 걸었을 때 항상

몇 마디 못 나누고 유지운이 형을 데리고 가버렸잖아요. 그런데도 형한테 말을 걸 수 있겠냐고요!"

"그렇다고 나한테 말도 걸지 않고 나와 대화를 나누지 못했다고 우울해하는 너도 내 상식으론 이해가 되지 않네. 내가 너였다면 난 이미 내게 말 걸었을 거야. 말을 걸고 나랑 대화를 별로 못 해서 우울하다는 건 이해를 하겠는데, 지금 넌 그냥 아무런 시도조차 하지 않고 이러는 거잖아."

"그건 맞지만, 형 솔직히 형이 혼자 있는 시간이 있었어요? 맨날 유지운이랑 다니고, 밥도 그 사람이랑 먹고 제가 시간이 날 때면 항상 형은 그 사람이랑 어디 가고 없고, 잠을 잘 때도 말이에요. 회의 끝나고도 그 사람이랑 먼저 대화했잖아요. 저희 같이 조사 끝내고 돌아왔을 때도 형은 엘리베이터 타고 먼저 가버리셨잖아요. 전 형이랑 같이 갈 생각이었는데."

"그럼 그때 말하지 그랬어? 이제야 말하는 건 너무 늦은 것 같지 않다고 생각해? 그날 말했다면 나도 너랑 같이 갔을 거야. 네가 표현을 안 하는데 내가 어떻게 알아?"

"형은 눈치가 왜 이렇게 없어요? 진짜 형이랑 이런 대화 나눌 때 저 너무 버거워요."

"네가 버겁다면 어쩔 수 없지. 그럼 대화를 안 나누면 되겠네."

"그런 말이 아니잖아요. 형은 사고방식이 왜 그런 거예요? 형 진짜 짜증 나요!" 그는 말을 내뱉은 후 입을 틀어막았다.

"그래. 알겠어. 짜증 나면 대화 그만하자. 나도 너랑 이런 이야기는 하기 싫어. 그렇게 짜증 나면 그만하자." 그를 피해 3층으로 향하려고 했다.

"형, 아니. 형 잠시만요. 가지 마세요. 제 말은 그게 아니에요. 형이 짜증 난다는 게 아니라… 아! 답답해! 미안해요. 죄송해요. 형, 죄송해요……."

"그런 사과는 안 해도 돼. 내가 버겁고 짜증 난다며? 그럼 그만 대화하자고. 내가 싫어, 대화하는 게."

"……."

한참 후 그는 내게 말했다.

"형 너무해요. 미워요. 진짜 싫어요. 왜 그래요?"

"그만하자고."

"제가 그 정도로 싫어요, 형은? 그 정도예요? 진짜 제가 왜 형한테만 그렇게 잘 해줬는지 모르시는 거예요? 왜 제가…."

"그만해. 이제 지쳤으니까 이 건은 다음에 얘기하자. 쓸데없는 곳에 감정 소모하지 마."

"이게 쓸데없는 곳이에요? 형이랑 저의 사이에 관한 건데요? 형은 저희 사이에 아무것도 없다고 생각하세요?"

"너야말로 무언가 있다고 생각해?"

"형은 단 한 번도 그렇게 생각해보신 적 없어요?"

"없어. 그런 생각을 하는 게 난 이상한 거 같은데."

"아아… 사람 이상한 사람으로 몰아가시는 거예요?"

"이상한 거에 트집 잡지 마. 너야말로 지금 흥분했어. 자고 일어나서 얘기해."

그를 제쳐두고 다급히 계단을 내려갔다. 뒤에서 발소리가 들렸다. 발소리는 일정하지 못했다. 몸을 억지로 끌고 오는 느낌이었다. 전우현은 갑자기 왜 이러는 걸까. 그와 이런 대화를 나누는 건 싫다. 아끼는 동생이었는데, 왜 이렇게까지 사이가 비틀어져 버린 걸까.

괴롭다.

20.

여름인데도 너무 춥다. 형과 나의 사이도 차갑게 식어 버렸다. 형과 사이가 이렇게 될지 몰랐다. 이럴 거면 그냥 형의 집에서 그대로 지낼 걸 그랬다. 이런 곳에 와서 형과 유지운을 만나게 해선 안 됐었다.

잠을 잘 때마다 베개에 눌리는 나의 노란색의 탈색 머리가 보인다. 유지운의 다크서클은 진짜 짙고, 이상하다. 유지운에 비하면 나는 단정한 머리 길이에 피부도 좋고 눈도 큰데, 형은 왜 저런 사람이랑 같이 다니는 것인지 모르겠다.

언젠가 형을 쟁취하겠다고 마음먹고 잠들었다. 보름달에 소원도 빌었는데, 오늘 그 소원이 깨져 버렸다. '형이랑 오랫동안 행복하게 살게 해주세요.'라고 빌었는데 형과 말다툼을 해버리다니. 바보 같아!

웬일인지 상쾌한 기분과 동시에 일어날 수 있었다. 아픈 허리도 조금 가뿐해졌다. 유지운은 아침잠이 없는 거 같다. 전우현은 눈가가 빨개진 채 자고 있다.

"현규야." 나의 이름을 부르는 그가 보였다. "웬일로 일찍 일어났네."

"몇 시인데?"

"아침 7시야. 진짜 일찍 일어났네?"

"그러게. 학교 다닐 때도 알람 없이 이런 시간에 일어나는 건 못 했는데…."

"맞네, 너 얼마 전까지 학교 다녔구나."

"응."

"교복 입은 넌 어때?"

"나?"

"응. 잘 어울렸을 거 같은데."

"우리 학교 교복이 별로여서 나랑은 안 어울렸어. 키도 별로 크지 않고."

"너만 그렇게 생각하는 건 아니고?"

"진짜 안 어울렸는데."

"교복 입은 너도 보고 싶다. 난 어땠을 거 같아?"

"형은 무슨 교복을 입든 잘 어울릴 거 같아. 키도 크고 비율도 좋잖아."

"그래? 근데 난 고등학교 안 다녔어. 중학교만 졸업했어."

"뭐 진짜!?"

"응. 진학 안 하고 회사 같은 곳 들어갔어."

"그렇구나. 멋지다."

"그만큼 좋은 회사는 아니야."

"그래도 그 나이에 회사를 들어가다니, 대단하다."

"아무것도 아냐. 친했던 친구랑 같은 고등학교도 못 가게 돼서 그냥, 초반에는 거의 울면서 다녔어. 그럼 우리 밥 먹으러 갈까?"

"응…."

전우현이 마음에 걸리긴 했지만 모른 체했다.

입맛이 있진 않았다. 막상 도착하고 보니 나는 음식 냄새에 입맛이 떨어졌다. 이유는 모르겠다. 음식이 먹고 싶지 않았다.

"형, 많이 배고파?"

"딱히, 넌?"

"배가 별로 안 고파서. 형 배고프면 내가 요리해줄게."

"와, 배고프다." 그가 인위적인 목소리로 말했다.

"뭐야?"

그의 모습이 어이가 없고 웃겨서 소리 내어 웃었다. 이렇게 크게 웃었다는 거에 아차- 싶었다.

"어, 나 네가 이렇게 소리 내고 웃는 거 처음 보는 거 같아. 너 웃는 모습이 진짜 이쁘다…. 살짝 접히는 눈이 정말 매력적이네. 평생… 웃어주면 좋겠다."

"웃는 게 예쁘다는 말은 처음 들어보는 말이네. 사실 콤플렉스여서 잘 안 웃으려고 하거든. 그래서 아까 웃었을 때도 아차 싶었어."

"왜 콤플렉스야?"

"얼굴이 이상해 보이잖아…."

"너 같은 애가 그런 말 하면 진짜 짜증 나는 거 알아? 너 같이 진짜 잘생긴 애가 그런 말 하면 너무 짜증 나. 너는 모든 모습이 완벽한 거 같아. 넌 속까지 완벽할 거 같아."

"성격은 평범한데."

"성격이 맞을까?"

"응?"

그는 의미를 알 수 없는 미소를 띤 채 나를 바라봤다. 오늘따라 눈치가 빨랐던 것인지 그의 말을 이해해버렸다! 이런 변태 같은!! 이해한 나도 싫다!

얼굴이 바보같이 달아 올라버렸을 것이다.

"이 변태!"

"이해한 너도 같잖아. 안 그래?"

"안 그래!"

"그럴까?"

"그래!"

"그럼 우리 키스하지 말까? 내 변태 짓이 싫으면 앞으로 키스 같은 건 하지 말자."

좋지도 싫지도 않은 권유였다. 그와 키스를 하는 게 싫은 것은 아니고, 좋은 것도 아니었다. 아니었다고 확정 지을 수 있는 건 아니지만 행복한 쪽은 아니니… 아니 행복한 쪽일 수도 있을 것이다. 아! 내가 왜 이렇게 변해버렸는지!! 유지운을 만난 게 죄다.

"형이 버틸 수 있겠어?" 그에게 도발했다.

"당연하지? 너 만나기 전까지 잘만 지내고 있었는데, 못할 이

유야 없지."

"어… 응."

유지운은 못 버티리라고 생각했다. 금방 다시 키스하게 될 줄 알았는데 이게 뭐야……! 그렇다고 내가 키스를 하고 싶어 하는 건 아니다. 절대 아니다.

"왜, 너는 못 버틸 거 같아?"

"아니 당연히 버틸 수 있는데."

"그래? 그럼 마지막으로 키스 한 번만."

"아니, 안 한다고 했잖."

그가 나의 말이 끝나기도 전에 나의 입에 입을 맞췄다. 짧은 입 맞춤이었다. "꺅!"하고 짧은 비명이 들렸다. 나와 그는 이 상황을 이해하는 데 1초조차 걸리지 않았다. 지하의 입구에서 대놓고 입 맞춤을 하다니 이런 바보 같은 머저리!! 주현아에게 이 모습을 들키고 말았다. 옆에선 반채희가 어안이 벙벙한 듯 우리를 바라보고 있었다.

"아, 아니 그런 게 아니라 넘어질 뻔해서 부딪힌 거야. 아무것 도 아냐. 남자끼리 이러는 건 이상하잖아, 그렇지? 얘들아, 우현이 랑 세연 누나 귀에만 안 들어가게 해줘…." 당황하여 말이 되지도 않는 말을 늘어놓았다.

"도대체 어떻게 입술끼리 부딪치는 거지? 아니에요! 괜찮아요. 전 그런 면에서 개방적인 사람이니까요! 걱정하지 마요! 세연 언니 랑 우현 선배 귀에는 안 들어가게 할게요! 저희 둘만 믿으세요!" 주현아는 의기양양한 얼굴로 말했다.

"현규 선배… 이렇게 대놓고 하시는 건 아니잖아요….." 반채희가 넋이 나간 채 말했다.

"내가 한 게 아니라 지운이 형이 한 건데, 나 하고 싶지도 않았어!!"

"너는 안 원했던 거야?"

"아니 형, 그런 건 아니, 아 몰라!"

머리가 굴러가지 않았다.

"진정해요, 선배. 입단속 잘할 테니까요, 걱정 마요! 저 이래 봬도 입 진짜 무겁거든요!" 주현아가 내게 윙크를 하며 말했다.

"응…."

"나는 밝혀져도 상관없는데." 유지운 그가 가만히 있다 입을 열었다.

"안돼 안돼 안돼 안돼 안돼. 절대 안 돼. 절대 안 돼. 나 우현이가 알게 된다면 나 진짜 혀 깨물고 죽을 거야. 진짜 안돼."

"아무리 그래도 그런 말은 하면 안 되지. 응? 말 좀 곱게 쓰자." 그가 나의 양 볼을 붙잡고 말했다.

"현아야 우리는 비켜주자…." 그들이 작은 소리로 속삭였다.

"아니, 애들아, 괜찮아. 가지 마…." 내가 말했다.

"아니에요! 이럴 때일 수록 돕고 살아야죠!"

그렇게 말하곤 그 둘은 자리를 잽싸게 떠났다. 유지운과 나의 사이에 살짝 냉랭한 공기가 돌았다.

"이렇게 된 거 그냥 키스 안 하기로 한 거 그만하고 키스나 할래?" 유지운이 말했다.

"뜬금없는 소리 하지 마."

"네 목에 있는 잇자국, 슬며시 보이는 위치네. 쟤네도 봤겠지? 멋진데? 좋다. 이번엔 안 보이는 쪽에 물게. 티 안 나게, 응?"

"안 돼! 싫어!"

"난 좋은데. 그럼 네가 내 목에 남겨주면 안 돼?"

"그건 더 싫어! 변태 같아!"

"변태 같아서 좋은데."

그가 나의 허리를 꽉 쥐곤 벽으로 몰아붙였다.

"아아 뭐라는 거야!! 저리 가! 우현이가 오면 어떡해! 곧 우현이 일어날 시간이란 말이야!"

"그럼 우현이가 못 보는 곳으로 가서 하자는 소리지? 좋은데?"

"싫어 싫어!!"

21.

결국엔 몸에 잇자국이 두 개가 되었다. 하나는 목덜미, 나머지 하나는 ……가슴이다. 믿고 싶지 않다. 게다가 왼쪽 가슴을 물었다. 이 변태 같으니!! 진짜 싫다!! 우현이에게 들키면 어떻게 될지 상상조차 가지 않는다.

옥상에 나가니 비가 내렸다. 장마가 시작된 거 같다. 좀비들은 이 빗소리에 어떻게 반응할까. 이따 관찰해서 형에게 알려줘야 할 거 같다. 그에게 조금이라도 도움이 되고 싶다.

비에 흠뻑 젖어 옷이 몸에 달라붙었다. 그래도 좋았다. 오랜만에 맞는 비라 행복했다. 그리고 이 빗소리는 좀비들은 신경 쓰지 않는 듯했다.

옥상에 누군가 올라왔다. 뒤를 돌아보니 전우현이 서 있었다. 전우현은 나를 보고 멀뚱멀뚱 서 있었다.

"형."

그에게 아무런 대답도 해주지 않았다. 그는 조금씩 나를 향해 다가왔다. 완전히 나의 앞에 다가왔을 때 그는 나의 목에 있는 잇 자국을 들여다봤다. 아무래도 젖은 옷에 그 잇자국이 비친 거 같 다.

"이게 뭐예요?" 그는 화난 얼굴로 말했다.

"아무것도 아니야. 신경 안 써도 돼."

"다른 곳에도 있어요?"

"…신경 쓰지 마."

"저 형이랑 다투기 싫어요. 그러니까 그렇게 대하지 말아주세 요. 전 진짜 궁금해서 물어본 것뿐이에요. 그렇게 차갑게 대하지 마세요."

"나도 그냥 신경 쓰지 말라고 한 거뿐이야. 나를 이상한 사람으 로 몰아가지 마. 비켜, 추워서 3층으로 다시 내려갈 거야."

"못 비켜요. 할 말 있어요."

"난 없어. 비켜."

"사실 제 피어싱은 형을 위해 뚫은 거예요. 형 목에 있는 그 잇자국은 누가 낸 거예요? 형이 낼 수는 없잖아요."

"신경 쓰지 마. 비키라니까."

"잘못했어요. 형, 진짜 잘못했어요. 형을 나쁜 사람으로 몰아가서 죄송해요. 그냥 질투였던 거 같아요. 정말 죄송해요. 용서해 주세요. 전 형이랑 이런 사이가 지속되는 건 싫어요." 그가 울먹거리는 표정으로 말했다.

"……나도."

"네?"

"나도 미안해. 지운이 형을 그냥 욕한다는 생각만 했던 것 같아. 너랑 이런 사이가 되는 건 싫었어. 먼저 사과해줘서 고마워."

"…형, 한 번만 안아주시겠어요? 아니 안아주세요."

축축하게 젖은 그의 옷과 머리가 차가웠다. 그의 품은 평소답지 않게 매우 차가웠다. 서로의 가슴을 맞대고 안고 있으니 그의 심장 박동이 그대로 느껴졌다. 과격하게 뛰고 있는 그의 심장이 오늘따라 조심스럽게 느껴졌다.

"형 안경 물 묻었는데 괜찮아요?"

"괜찮아, 닦으면 돼. 나 이제 내려가도 되지?"

"네, 되죠. 아깐 억지까지 부리면서 붙잡아서 죄송해요."

"괜찮아. 그러니까 우리 어제, 오늘 있었던 일은 우리 다시 꺼내지 말기로 하자. 서로에게 상처만 줬던 일이잖아."

"…네."

젖은 옷을 갈아입기 위해 방으로 갔다. 옷이 꽤 축축 했기에 상의를 먼저 탈의했다. 나의 옆 침대에선 전우현이 옷을 벗었다. 그도 옷이 축축해서 불편한 것 같았다. 슬쩍 본 그의 몸은 잔근육이 많아 시선을 끌었다.

가방을 아무리 뒤져도 남아있는 옷이 없는 거 같다. 최근 빨래를 미뤘더니 이렇게 된 거 같다. 당황스럽다. 어찌해야 좋지.

방문이 열리며 유지운이 들어왔다. 그는 나의 몸을 위아래로 훑어봤다. 그리곤 만족스러운 미소를 짓고 내게 슬며시 다가왔다.

"가슴에 있는 잇자국, 꽤 크게 났네? 우현이가 봤을지도 몰라." 그가 내 귀에 속삭였다. "옷은 왜 벗고 있는 거야?"

"비 맞았어. 옥상에 나갔었거든. 그래서 옷이 홀딱 젖었네."

"그래? 근데 왜 옷 안 갈아입고 그러고 있어."

"옷이 없어. 내가 빨래 미뤄서 남은 옷이 없네."

"형, 제 옷 빌려드릴까요." 옆에서 전우현이 우리의 대화를 엿듣기라도 한 듯 나의 말에 잽싸게 대답했다.

"괜찮아. 너도 옷 갈아입어야지."

"……알겠어요." 그가 주눅 든 채 말했다.

"전우현 거 옷 안 입을 거면 어쩔 생각이야? 아… 혹시 내 옷 입고 싶은 거야?" 그가 내 귓가에 작고 낮은 목소리로 속삭였다.

그의 목소리에 몸이 전기가 오른 듯 찌릿찌릿했다. 그의 목소리를 들을 때마다 심장이 난동을 부린다. 그의 말에 작게 고개를 끄덕였다. 그가 자신의 짐가방에서 얇은 긴 소매의 옷을 꺼내주었다. 그 옷은 너무 얇아 나의 살결이 살짝씩 비쳤다. 그의 잇자국마저 비칠까 봐 가슴이 조마조마했다.

키가 나보다 훨씬 큰 그의 옷은 당연하게도 치수가 두 치수는 더 큰 거 같았다. 내 키가 작은 편은 아니었지만 조금 초라해 보였다.

22.

나의 몸에서 그의 향기가 났다. 옷을 코에 가져다 대어 향기를 맡았다. 변태 같기는 한데 향기는 좋았다. 평생 나의 몸에서 이 향이 났으면 좋겠다고 생각했다. 나의 목에 남을 이 잇자국과 함께.

벌써 저녁을 먹을 시간이 되었다. 한식집에 있던 된장으로 된장찌개를 끓였다. 우리 엄마의 솜씨만큼은 되지 않았지만, 꽤 괜찮게 끓인 거 같다. 장가가도 될 것 같다. 장가는 누구에게 가지? '나잖아.'라고 유지운이 외치는 환청이 들리는 것 같다. 금세 목덜미가 빨갛게 달아올랐다.

식탁에 냄비와 밥을 두고 냉장고에서 간단한 반찬들을 꺼내놓았다. 식당엔 아직 사람이 있는 거 같은 온기가 남아있다. 식당 구석에서 조리법 노트가 나왔다. 오랜만에 보는 타인의 온기라서 그런 거 같다. 온기라고 치기에도 애매했다. 많은 사람을 만난 지 오래돼서 이런 것도 온기라고 느끼는 것 같다.

식당 밖 창문으로 주현아와 전우현이 보였다. 그 둘은 천천히 걸으며 일식집으로 들어갔다. 단둘이 밥을 드디어 먹기 시작했다. 조금 더 나아가면 사랑의 징조도 볼 수 있을 거 같다. 현아가 조금만 더 힘을 냈으면 좋겠다.

강세연이 가게에 문을 열고 들어왔다. 그의 뒤에는 반채희도 있었다. 반채희는 아직도 나를 보며 떨떠름한 표정을 지었다. 괜히 민망해졌다.

"우와- 된장찌개 냄새 좋다. 네가 끓인 거야?" 강세연이 흥분에 가득 찬 목소리로 말했다.

"아, 네. 저희 엄마가 끓여주시던 조리법이에요."

"나 한 번만 먹어봐도 될까?"

"네, 드셔보세요."

"드셔보세요 라니, 내가 아줌마가 된 거 같네." 그렇게 말하며 그는 작은 웃음을 지어냈다. "우와 진짜 맛있게 잘 끓인다 너! 너희 어머님은 얼마나 요리를 잘하셨던 거야. 이야 넌 부럽다."

"네…."

"왜 그래? 혹시 내가 뭐 불편한 말이라도 했어?"

"아뇨."

"정말이지?"

"네. 걱정 안 하셔도 돼요. 혹시 지운이 형 보셨어요? 안 보이네요."

"그러게. 아까 나가는 것만 봤어. 큰 가방을 들고 나가더라고? 근데 곧 돌아올 거야. 예전에도 그랬었거든."

"그렇군요…."

"우린 이만 가볼게, 할 일이 있어서."

"네? 그럼 이거 한 입 드시려고 오신 거예요?"

"그건 아니었는데… 이유는 비슷해. 그냥 네 얼굴 한 번 보려고 왔어." 그가 방긋 웃으며 말했다. "그럼 저녁 맛있게 먹어."

"아, 네."

반채희도 강세연도 이 식당을 나갔다. 반채희는 끝까지 나를 경멸 했다. 조금 거슬렸다.

식사를 마치고 방으로 향했다. 방문 앞에 도착하자 인기척이 느껴졌다. 혹시라도 좀비일까 싶어 근처에 있는 소방용 도끼 하나를 들었다. 소방용 도끼를 손에 쥔 채 덜덜 떨리는 손으로 문을 열었다. 사람의 형태가 보였다. 아무래도 좀비가 들어온 것 같다. 황급히 도끼를 휘둘러보았다.

"으악!"

좀비인 줄 알았던 그 형체가 소리 질렀다. 좀비인 줄 알았던 그것은 한 사람이었다. 상당히 빼어난 외모와 귀 아래까지 오는 반곱슬머리의 남자였다. 키도 커 모델이라고 생각할 정도였다.

근데, 이 도시에는 현재 우리밖에 생존자가 없다고 지운형이 그랬다. 그런데 저 사람은.

"누구… 세요…?" 내가 그에게 물었다.

"초면에 무례하게 무슨 짓이에요!" 그가 호통쳤다.

"여기서 생활하고 있는 사람은 모두 6명인데 그중 4명이 지하에 있고 나머지 한 명은 바깥에 있는데, 어찌 사람이라고 생각하나요? 당연히 좀비가 있는 줄 알았어요. 죄송해요, 초면에 도끼를 휘두른 건. 그리고 물어보고 싶은 게 많아요."

"정말 무례하군요! 이 제가 누군지 모르는 거예요?"

"네."

"당신은 세상이 어떻게 돌아가는지도 모르시는 건가요? 유명

소속사 회장 서정호의 아들 서찬원이잖습니까. 그리고 좀비 사태가 발발하기 전, 인터넷에서 난리였잖아요! 모델로 데뷔였다고요!"

"아… 네."

전부 처음 들어보는 정보들이다.

"당신 같은 얼굴이면 아이돌을 해도 나쁘지 않을 거 같은데, 키가 좀 작군요. 딱히 상관은 없겠죠. 나중에 이 좀비 사태가 끝나면 저희 따로 만나죠. 이름이 어떻게 되세요?"

"네? 아 이름이요? 민현규입니다. 서찬원 씨라고…?"

"네! 똑똑히 외워두세요."

"네. 질문 좀 해도 될까요?"

"물론이죠."

"저희와 생활하는 인물 중 한 명이 이 동네 전체를 순찰했을 땐 자신 포함 7명이었다고 했어요. 그중 한 명은 얼마 전에 죽었고요. 근데 당신은 어디서 나온 거죠?"

"머저리들이로군요. 저는 보안이 철저한 엠버 호텔에 있었습니다. 그 호텔은 지정된 사람에게만 나눠주는 카드키로 입장하는 곳이에요. 이곳과 비슷하죠. 그 순찰한 사람은 지정받지 못해 호텔에 들어오지 못했던 거예요. 그 호텔에 있던 사람들은 음식이 떨어지자 다 같이 그 호텔을 나왔는데 그 바보 같은 사람들은 저 좀비들이 소리에 반응한다는 것도 모르고 무작정 뛰어가더라고요?

저는 해가 지기만을 기다리고 해가 지고 난 후에 이 백화점으로 왔어요. 여기도 카드키 입장이니까요. 아, 같이 나왔던 그 사람들은 전부 다 죽었어요. 사실 확실한 건 아니지만 죽거나 좀비가 됐거나

중 하나겠죠. 여기에 오지 못한 것을 생각해보면요. 바보 같은 사람들이에요. 무식하게 음식만 처먹을 줄 아는 돼지 새끼들과 다를 게 없어요."

"…그렇군요. 사람이 남아있긴 했었군요."

"물론이죠. 이 큰 동네에 당신들밖에 없겠어요?"

"무례한 건 당신인 거 같네요. 말 좀 곱게 하시면 안 될까요?"

"왜 그래야 하죠?"

"그렇담 마음대로 하시죠. 저도 마음대로 할 테니."

"좋아요, 현규 씨? 나이가 어떻게 되세요."

"그건 왜 궁금하신 거죠?"

"앞으로 자주 볼 텐데 알아두는 게 좋죠."

"20살입니다."

"좋은 나이네요."

"당신은요."

"19살입니다. 당신보다 한 살 어리네요. 잘 지내봅시다."

그가 내게 자신의 왼손을 내밀었다. 그의 손에는 연분홍색의 매니큐어가 칠해져 있었다.

"예쁜 색이네요." 그의 왼손을 맞잡으며 말했다.

"감사합니다. 제가 좋아하는 색이에요. 그런데 여기, 남는 방 있나요? 가능하면 혼자 방을 쓰고 싶은데."

"아마 4층에 있을 것 같아요. 그런데 여기서 생활하는 사람 중 단 한 명도 4층을 이용하는 사람이 없는데, 괜찮으시겠어요?"

"당연하죠? 저를 무슨 5살 꼬맹이로 보시는 거예요?"

"아뇨, 그런 게 아니라, 저는 좀비 사태 이후로 혼자 자는 게 무서워졌거든요. 언제 어디서 좀비가 나타날 줄 모르니까요."

"알겠습니다. 다른 이들에게 제 소개는 현규 씨께서 잘 해주시기 바랍니다. 이만 전 올라가 보도록 하죠."

"하… 네."

뻔뻔하기 짝이 없다.

23.

새벽 1시가 되어서야 유지운은 돌아왔다. 그의 꼴은 엉망이었다. 눈은 충혈되었고, 손은 엉망진창이었다. 그는 나를 보자마자 나의 품에 안겼다.

"너무… 힘들었어."

그의 몸에선 화학 약품 냄새가 났다. 그의 머릿결은 무엇 때문인지 푸석푸석해진 채로 왔다. 그 긴 시간 동안 그는 무엇을 했던 것일까.

"뭐 하고 왔어?"

"…." 그는 침묵으로 대답했다.

"…알겠어. 수고했어."

"보고 싶었어. 이렇게 오자마자 너를 볼 수 있어서 행복해. 하루의 피로가 다 날아가는 거 같아. 키스하자. 해도 되지?"

"가면 갈수록 뻔뻔해진다, 형은."

"해도 된다는 말이지? 그렇게 알게."

서로의 입술에 입술을 맞대고 서로 몸에 의존했다. 옷 속으로 파고드는 그의 손을 뿌리치지 않았다. 오히려 그에게 더 애원했다. 그의 혀가, 나의 혀가 맞닿는 이 느낌이 좋았다. 하면 할수록 좀 더, 조금만 더 맞닿아있었으면 좋겠다고 나 혼자만이 생각했다.

"그거 알아? 너랑 키스하는 것도 나의 하루 일과표에 포함되어 있다는 거."

"뭐, 뭐라고? 아! 변태! 진짜 창피하다!"

"왜, 너도 좋았잖아. 그런 김에 한 번만 더하자."

"안 돼. 하면 할수록 형 손이 점점 더 깊게 들어온단 말이야."

"그건 키스 안 해도 할 수 있는 건데 내가 참고 있는 거야. 얼마나 끙끙거리며 참고 있는 건 줄 알아?"

"어 알겠어. 형 대박이다." 인위적으로 꾸민 목소리로 말했다. "키스는 다음에 하고. 오늘 여기에 새로운 사람이 왔어."

나의 말에 그는 눈이 휘둥그레졌다.

"뭐? 생존자가 남아있어?"

"응. 그 사람 말로는 엠버 호텔에서 다른 사람들이랑 지내다가 자기만 살아서 여기로 왔대. 여기가 보안이 좋아서 왔다나 뭐라나…. 근데 성격은 좀 별로인 거 같아."

"그래? 나중에 한 번 대화 해봐야겠네. 그나저나 너 오늘따라 되게 좋은 냄새 나."

"형 옷 냄새야. 내 몸에서 형 냄새나는 거 되게 신기해."

"그래서 좋다. 우현이가 잇자국 보고 뭐라고 하진 않았어?"

"…응. 형."

"응?"

"많이 좋아해."

"네가 이럴 때마다 심장 떨어질 거 같아. 너무 좋아서 심장이 가만히 있질 않아. 너는 네 얼굴 믿고 이런 거 하고 있지? 진짜 짜증 나는데, 좋아."

"뭐야 그게."

그와 함께 서로를 마주 보며 웃었다.

"옷이 잘 어울리네. 이 옷 너 가져. 네가 매일 내 옷을 입어줬으면 좋겠다. 너는 네가 좋아하는 사람이 너의 옷을 입고 있는 기분 모르지? 평생 몰랐으면 좋겠다. 너의 첫 번째 연애도, 마지막 연애도 전부 나였으면 좋겠다."

"욕심쟁이다 형. 우리 이제 자러 가자. 피곤하지? 어서 옷 갈아입고 쉬자."

"응."

그와 단둘이 손을 맞잡고 걸어갔다. 그의 손은 거칠었다. 그것마저도 좋았다. 그였기에.

"사랑해."

그가 나의 귓가에 속삭였다. 그의 말을 듣고 기쁨을 주체하지 못했다. 붉게 달아오른 볼을 어떻게서든 가려보려고 손으로 얼굴을 뭉개었다. 그리고 그에게 바보 같은 목소리로 말했다.

"나도…."

24.

해가 뜬 그 화사함이 느껴졌다. 눈을 비비고 자리에서 일어났다. 비몽사몽 해 앞이 잘 보이지 않았다. 비틀비틀한 두 다리를 어떻게서든 걷게 했다. 이 정도의 피곤함이면 씻고 나와도 졸릴 거 같다.

"현규 형."

"우현아, 좋은 아침."

"네! 형도요. 요즘 계속 비만 오네요. 좀비들은 비에 약한 걸까요? 어제 잠깐 주현이랑 옥상에 갔다 왔는데 좀비가 빗물에 닿자마자 괴상한 비명을 지르고 비를 피했어요. 그리고 그 빗물이 닿은 곳의 피부는 녹아내렸더라고요? 그래봤자 그 피부는 다시 복구되는 거 같았어요. 물 뿌리면서 다닐 생각이었는데 말이에요."

"엄청난 발견을 했구나. 지속되지는 않겠지만 잠깐은 그걸로 좀비들을 공격할 수는 있겠네. 대단하다."

"에헤헤… 아니에요. 근데 형 왜 몸을 잘 못 가누세요? 괜찮아요?"

"그러게. 오늘따라 눈이 잘 떠지지 않네."

"그럼 조금 더 자고 와요! 괜히 무리하지 마요. 아직 이른 시간이잖아요. 그리고 오늘은 회의도 없고요. 아무 때에나 일어나셔도 돼요. 피곤할 때는 쉬는 게 약이에요. 한숨 푹 자고 일어나요!" 그가 나의 등을 떠밀며 말했다.

"아, 우현아, 밀지 마. 나 진짜 다리에 힘이 없어서 쓰러질 거 같."

결국엔 나의 두 발이 꼬여버렸다. 앞으로 넘어가던 나의 몸을 누군가 뒤에서 잡아주었다. 유지운은 아니었다. 나의 팔뚝을 잡은 손의 힘이 유지운이 아니다.

"아… 감사합니다."

나를 잡아주었던 건 강세연이었다.

"조심해. 다치면 큰일이니까. 그리고 어제 온 서찬원이란 애 말이야, 지운이랑 아는 사이 같던데. 너도 알아?"

"아뇨. 전 지운이 형에 대해서는 잘 몰라요. 생각해보니까 형 주변인들도 누나 말곤 모르고요."

"그거 좀 안타깝네…. 너랑 지운이 둘이 엄청나게 친해 보이던데, 그런 걸 모르다니."

"현규 형이랑 유지운이 엄청나게 친하다고요?" 전우현이 말했다.

"어. 몰랐어? 너 빼고 다 알고 있을걸. 둘이서 맨날 붙어 다니잖아. 그런데도 모르는 건 네가 현실 부정해서 그런 거 아니야?"

"아니에요! 아니에요…. 아닐 거예요…….." 그가 점점 작아져 가는 목소리로 말했다.

"인정하지 그래?" 강세연이 그를 압박하며 말했다.

"싫어요! 형, 얼른 방으로 가요."

"응. 천천히 가자. 나 다리에 힘이 없어."

설상가상으로 허리마저 아프기 시작했다. 오늘따라 컨디션이 안 좋은 거 같다. 아… 몸이 좀 이상하다.

비틀비틀한 다리를 힘겹게 이끌어 침대에 몸을 던졌다. 나를 맞아주는 침대에 푹 안겼다. 그렇게 눈을 감은 채 몸을 맡겼다.

25.

정말, 정말 오랜만에 꿈을 꾸었다. 꿈속에는 새하얀 배경과 전우현이 나왔다. 그리고 주현아. 그 둘은 티격태격하며 말다툼을 했다. 그러다 주현아가 주변에 놓여있던 전우현의 도끼로 전우현을 목을 베어버렸다. 순식간에 일어난 일이었다. 전우현의 잘린 목에서는 피가 샘솟고 있었고 잘려 데굴데굴 굴러가던 그의 머리 때문에 그 머리가 굴러간 길은 모두 피로 빨갛게 물들었다. 새하얗던 이곳이 붉은색으로 물들기 시작했다. 주현아는 그를 죽인 죄책감에 빠져 그 도끼로 자신의 배를 갈랐다. 갈라진 배에선 창자가 먼저 쏟아져나왔다. 그 모습에 구토가 쏠려 나왔다. 주현아는 쇼크사한 것 같다. 창자가 전부 빠져나온 후 나머지 장기들이 차례대로 나왔다. 피로 물든 이 방이 나의 토사물로 가득 차게 되었다. 온몸이 나의 토사물로 인해 더러워졌다. 이 새하얀 공간이 더럽고 더러운 공간이 되어버린 후 나는 미쳐버렸다. 전우현의 잘린 머리를 붙들고 살려달라고 그에게 외쳤다. 부릅뜨고 있던 전우현의 눈을 곱게 감겨주었다. 나의 눈에 그의 오른쪽 귀에 있던 피어싱이 들어왔다. 그의 귀에 있는 피어싱을 빼 나의 왼쪽 동공을 찔렀다. 엄청난 고통이었다. 심장 박동이 빨라지는 것을 느꼈다. 눈앞이 보이지 않는다. 왼쪽 눈을 붙잡고 쓰러졌다. 이 꿈에서 깨어나고 싶었기에 왼쪽 눈을 찌른 것이다.

괴상망측한 꿈이었다. 일어난 후의 나는 화장실로 달려가 토를 했다. 꿈에서 보았던 주현아의 장기, 전우현의 잘린 목의 단면, 보이지 않는 앞이 계속해서 떠올랐다. 싫다. 정말 싫다.

"현규야?"

토를 뱉어내느라 내 뒤에 사람이 온 줄도 몰랐다. 살짝 올려다보니 유지운이 그가 나를 걱정스러운 눈으로 나를 내려보고 있었다. 그는 나의 옆에 쪼그리고 앉아 등을 토닥여주었다.

"괜찮아? 왜 그래? 몸 안 좋아?"

아무것도 없는 위에서 이젠 위액이 나왔다. 그런데도 구역질은 멈추지 않았다. 눈이 풀릴 때까지 이 짓을 반복했다. 정말 이젠 위액마저 없어질 것 같을 즈음에 이 구역질이 멈췄다.

"현규야, 괜찮아? 많이 아파?"

"아니, 아픈 게 아니라 좀 기괴한 꿈을 꿨어. 지금 생각해도 싫다."

"무슨 내용이었는데?"

"…."

다시 떠올리기 싫은 내용만 가득한 꿈이었기에 대답할 수 없었다. 그에겐 정말 미안하지만.

"그래. 그 정도로 기괴한 꿈은 다신 떠올리기 싫은 거지? 나도 그런 꿈은 가끔 꿔. 그런 꿈은 잊어버리는 게 답이야. 우리 옥상 나가자."

"…응."

26.

비가 그친 후 하늘이 보이는 옥상으로 올라왔다. 흐릿하게 보이는 무지개도 있었다. 그와 함께하는 날들은 모든 게 완벽했다.

"좋다. 너와 함께 하는 인생이."

"나도. 꿈에서 봤던 것들이 잊어질 것만 같네. 형, 나 좀 안아줘."

나의 요구에 그는 꽤 놀란 얼굴을 했다. 하긴, 내가 먼저 하자고 하는 경우는 별로 없었지.

그의 품에 안겨 그의 가슴에 귀를 댔다. 일정한 박자로 뛰는 심장 소리가 좋았다. 그가 살아있는 채로 나의 곁에 있다는 걸 확인시켜주는 것 같아서 좋았다. 따뜻한 그의 품에서 모든 걸 녹였다. 내가 그의 품에 안겨 있을수록 그의 심장 박동이 조금씩 빨라지는 게 귀엽다.

"우리 키스하자." 내가 말했다.

"웬일이야? 오늘따라 적극적이네."

"형이랑 껴안고 있을수록 형 심장 박동이 빨라지는 게 귀엽고 웃겨서."

"아? 어? 그래?"

"응. 할게."

발꿈치를 들어 그의 키에 간신히 맞춘 후 입을 맞췄다. 짧았다.

나의 다리가 오래 버틸 순 없었기 때문에다.

"……너 키 작아서 짧게 한 거야?"

"알면 말하지 마…. 나도 슬프니까…."

"그럼, 여기 앉아. 안경 벗고."

그가 앉으라고 한 곳은 다름 아닌 그의 무릎 위였다. 저번에 한 번 앉은 후 엄청난 수치심을 느꼈기에 다신 앉고 싶지 않았다. 하지만 그가 엄청난 시선을 보내왔기에 앉을 수밖에 없었다.

"이렇게 하니까 좀 시선 맞지 않아?"

"아니 이러면 내가 형보다 커지잖아…."

"난 좋은데."

"난 이 자세 싫어."

"난 좋은데."

"입 다물어. 얼른 하기나 해! 변태야!"

"변태라니…."그가 얼빠진 얼굴로 말했다.

"새삼스럽게 이제 와서 그래."

"아무것도 아냐~."

그와 키스를 하기 시작했다. 각자의 혀는 한 몸인 듯 섞였다. 그의 혀는 정말 쓰다. 이 쓸쓸함이 느껴지는 때면 그와의 키스가 별로 하고 싶지 않다. 반면 그는 나와의 키스를 정말 즐기는 거 같다. 이 쓸쓸함이 느껴지지 않는 거 같다. 한참 동안을 그는 나의 혀를 잡고 놓아주지 않았다. 그때, 와드득 소리가 나며 입술에 극심한 고통이 느껴졌다. 유지운이 나의 입술을 깨문 것이었다. 그는 나의 입술에서 흘러나오는 피를 혀로 핥았다.

"아프겠네, 미안. 네 혀가 너무 달아서 흥분했어."

그가 말을 끝내자마자 폭우가 쏟아져 내렸다. 장마라는 걸 잊고 있었다. 그와 나는 비를 피하려 하지 않았다. 그 자리 그대로 앉아 서로를 바라봤다.

"옷 잘 어울려. 손 넣어도 돼?"

"뭐? 어디에 손을 넣는다는 건데?"

"이상한 생각하지 말고. 옷 안에 손 넣어도 되냐고."

"되겠어?"

"넣을게."

"왜 물어본 거야?"

"그냥, 예의라도 있게."

"뭐……?"

나의 옷 안으로 들어온 그의 손은 정말 차가웠다. 얼음장같이 차가운 손이 들어오니 몸이 움찔거렸다.

"차가워?"

"응."

그의 손이 나의 허리, 갈비뼈, 가슴, 빗장뼈 순으로 올라왔다. 빗장뼈 즈음에 왔을 땐 그가 나의 빗장뼈를 쓰다듬었다.

"빗장뼈가 되게 튀어나왔네. 넌 매력적인 부분이 많다. 다시 키스하고 싶어졌어. 잇자국 하나만 더 내면 안 돼? 야하다."

"…그래서 결론이 뭐야."

"결혼하자."

"이 나라에선 동성 결혼이 합법화되지 않았어,"

"이민 갈까? 미국에 가서 해버리자. 이 좀비 사태를 무사히 견뎌내고 미국으로 가자. 우리 둘만의 가정을 꾸리자." 그는 진지해 보였다.

"……생각해볼게. 춥다 이제. 우리 3층 가자. 옷도 갈아입어야 할 거 같아."

"응."

자리에서 일어나 옷의 물기를 짜냈다. 비는 계속해서 내리고 있던지라 옷은 다시 빗물로 축축해졌다. 바보 같은 짓이다.

3층으로 내려가던 계단에서 서찬원을 마주쳤다. 서찬원은 유지운을 보고 활짝 웃었다.

"형, 여태 어디 있었어?" 내가 여태까지 들어본 그의 목소리 중에 가장 밝은 목소리였다.

"옥상." 그는 무덤덤하게 말했다.

"비 오지 않아?"

"어. 비 와. 그래서 다 젖었잖아."

"형 비 맞는 거 좋아한댔지. 아 맞다, 형 알려줄 거 있어. 옷 갈아입고 지하로 와."

"응."

"둘이 아는 사이야?" 서찬원이 떠나고 내가 그에게 물었다.

"아빠끼리 친했어. 그래서 어릴 때부터 자주 만나던 사이야. 왜, 질투나?" 그가 히죽 웃었다.

"안 나."

"진짜?" 그가 나의 어깨에 팔을 두르며 말했다.

"진짜야. 옷이나 갈아입으러 가자."

27.

우현이가 자고 있다. 오후 4시쯤 되는 시간인데. 그는 아마 낮잠을 자는 듯했다. 곤히 자는 모습은 어린애 같다. 우현이의 피어싱을 보니 꿈에서의 그 장면이 떠올랐다. 꿈은 전부 가짜라는 것을 알면서도 그것만 생각하면 숨쉬기가 힘들어진다. 당분간 우현이 얼굴을 보기 힘들 거 같다.

빨래해 놓은 옷으로 갈아입었다. 지운 형에게 수건을 빌려 몸을 닦았다. 머리를 털고 안경에 묻은 빗방울을 닦았다. 유지운은 긴 머리를 말리고 있었다.

"내가… 말려줄까?" 나도 모르게 말이 튀어나왔다.

"좋아."

그가 자신의 침대에 걸쳐 앉았다. 나는 그의 뒤에서 무릎으로 침대를 디딘 채 그의 머리를 털어줬다. 이런 머리 길이를 가진 남자는 처음 봤다. 그의 머리는 귀밑으로 8센티 정도 되는 길이다.

"머리 길다."

"그래? 자를 때가 지나서 그런가 봐. 사실 이렇게 길게 자란 적은 나도 처음이야. 그래서 머리 묶는 것도 세연이 누나한테 배웠어. 너도 머리 길었으면 묶어줬을 텐데, 어때. 기를래? 기를까?"

"아니, 아니 싫어."

"넌 뭘 하든 잘 어울릴 거 같은데."

"아니야."

"겸손하네."

준비를 끝낸 후 함께 지하로 내려갔다. 그는 무념무상 한 표정이었다. 에스컬레이터를 함께 탔다. 그가 슬쩍 나의 손을 잡았다.

지하에 도착하니 서찬원이 열이 오른 듯한 표정을 하고 우리를 기다리고 있었다.

"왜 이렇게 늦게 온 거야! 20분은 기다린 거 같아! 옷 갈아입는데 왜 이렇게 오래 걸린 거야?" 그가 잔뜩 성난 목소리로 말했다.

"그 정도로 오래 걸렸어? 몰랐네. 그래서 알려주겠다는 게 뭔데."

"따라와."

그를 따라가자 보인 곳은 구석에 있는 한 문이었다. 그 문은 관리가 되지 않은 듯 더러웠다. 서찬원이 문을 열자 끼익- 거리는 소리와 함께 먼지가 날렸다. 그 먼지에 유지운은 기침을 했다.

내부는 술집 같은 곳이었다. 들어가자마자 보인 건 커다란 바였다. 비싸 보이는 술로 가득 차 있었다. 가운데엔 도박장이 있었다. 백화점 vip들의 여가 생활이 이렇다고 생각하니 좀 신기했다. 돈이 많기에 가능한 것이겠지.

"그리고 여기 유흥업소도 겸했나 봐. 젊은 여자랑 늙은 아저씨가 돈 들고 찍은 사진 있어." 서찬원이 말했다.

사진 속에는 예쁜 여자와 배가 툭 튀어나온 아저씨가 있었다.

그 여자는 노출이 심한 빨간색의 미니 드레스를 입고 배가 툭 튀어나온 아저씨 무릎에 앉아 돈다발을 들고 사진을 찍었다. 꽤 부자인 듯했다.

"와 대박." 서찬원이 뒤에서 사진을 들고 감탄했다.

서찬원이 들고 있는 사진을 슬쩍 보니 가슴이 정말 다 드러나는 옷을 입은 여자였다. 나와 유지운은 그가 품에 그 사진을 챙기는 걸 눈감아줬다. 정말 남고생은 남고생이구나.

유지운과 나는 다시 바로 가 술을 구경했다. 유지운은 바 안으로 들어가 술을 하나 골라냈다.

"백포도주야. 내가 제일 좋아하는 술인데, 마셔볼래? 너 주량이 어떻게 돼?"

"술 마셔 본 적이 없어."

"뭐? 너 20살 아니야? 성인 아닌가? 아니 잠시만 그럼 미성년자라고?" 그가 멈칫 나를 바라보며 말했다.

"아니, 형 잠시만, 나 성인 맞아. 20살이야. 맞는데, 몸이 아파서 아빠가 술 먹지 말라고 하셨었어. 근데 지금은 허리 아픈 거 빼면 건강해."

"그래? 정말 모든 너의 첫 번째 경험이 내가 되겠네."

"어, 그러게."

"그럼 그 첫 경험도 나는 어때?"

"그…?"

"왜, 알잖아." 그가 의미를 알 수 없는 미소를 지었다.

"아!?"

제법 눈치가 빠른 저 자신이 미웠다. 그는 싱긋 웃고 있었다.

"할래?"

"우와앗! 아니!? 아직 너무 이르잖아!"

"성인 됐으면 이른 건 아닐 텐데…."

"게다가 남자끼리 어떻게 해? 여자도 아니고?"

"남자도 할 수 있는 방법이 있어. 궁금하면, 지금 어때."

"무슨 말을 하는 거야…!" 얼굴을 붉히며 그에게 말했다.

"오늘 할까? 술김에 해보는 건 어때."

"우현이도 있는데 어떻게 해."

"그럼 5층 가서 하자. 어때? 내가 살살 해줄게." 그가 묘한 미소를 짓고 말했다.

"싫어…."

"아쉽다. 나 진짜 잘하는데."

"무, 무슨 소리야. 그런 말 하지 마…. 내가 다 부끄러워지네. 그리고 여기 찬원 씨도 있잖아! 조용히 말해…."

"5층으로 갈까?"

"싫어어!"

28.

몸이 제어되지 않았다. 술에 몸이 녹아내렸다. 내가 이렇게 술에 약한 사람이라는 걸 처음 알았다. 정신이 해롱해롱하고 세상이 빙글빙글 돌았다. 그와 함께 백포도주 조금과 소주 세 병을 비웠다. 그는 내가 이렇게 취한 후로도 혼자서 소주를 네 병이나 더 먹고 멀쩡했다. 사람이 맞을까?

"혀어엉… 키… 스…"

제정신이 아니다.

"키스 말고 다른 건 어때?"

"으응…."

"좋아?"

"아니…. 형, 나… 토 나올 것 같아."

헛구역질 났다. 술은 적당히 마셨어야 했다!

"어? 잠시만, 통 좀 가져올게."

그가 헐레벌떡 뛰어, 가져온 것은 비닐봉지였다. 그곳에 나는 여태까지 먹었던 것들을 토해냈다. 오늘만 해도 토를 두 번이나 하는 것이니 식도가 남아나지 않을 것이다.

놀랍게도 이 이후에 기억이 없다. 눈을 떴을 땐 같은 침대에서 유지운이 자고 있었다. 다행히도 옷은 입고 있었다. 그 부분에서 안도했다. 그러나 잠시 후 머리가 깨질 듯이 아파졌다. 가방에 얼마 남지 않은 상비약이 있을 것이다. 주위를 둘러보니 이곳은 3층의 방 구조가 아니었다. 복도에 나가 현재 위치가 그려진 지도를 보자 5층이었다. 그럼 현재 있는 곳은 5층이란 소리다. 어제 그가 내게 5층에서 그것을 하자고 했었는데 설마 아니겠지? 떨리는 가슴으로 그에게로 향했다. 그리고 그를 흔들어 깨웠다.

"형, 형. 일어나봐."

"으응…. 일어났어?" 그가 잠에서 덜 깬 목소리로 말했다.

"우리 어제 아무것도 안 했지?"

그는 잠시 고민하더니 이내 입이 찢어질 듯 미소 지었다.

"기억 안 나? 너도 하고 싶다며."

"뭐, 뭐를! 우리 왜 5층에 있는 거야?"

그가 나의 옷을 끌어당겨 자신의 얼굴 앞으로 나의 얼굴을 끌고 왔다. 그리고 키스를 하곤 나의 옷에 서서히 손가락들을 집어넣었다.

"형?"

"이거 말이야. 너도 하고 싶다고 그랬잖아."

"어?"

"네가 섹스 하자며."

"뭐어?!" 가슴이 철렁했다.

"근데 결국 못 했어. 내가 옷을 벗으려고 하자마자 네가 바로 잠들어버렸거든. 아쉬웠어. 널 안아서 이 방까지 들어오고 서로한테 매달려서 키스까지 했는데…. 옷을 벗으려고 하자마자 곯아떨어지다니! 너도 참 너무하다. 아, 너, 네 술버릇 모르지? 네 술버릇 알려줄까?"

"……뭔데."

"우는 거야. 어제도 진짜 많이 울었었는데."

"거짓말! 난 잘 안 울어. 그리고 내가 섹… 그거 하자고 했다고?! 정말!?"

"음~ 정확히는 내가 하자고 했는데 네가 알겠다고 했지? 어때, 지금 해?"

"아니! 하고 싶진 않아!"

"알겠어. 지금 몇 시야?" 그가 아쉬운 듯한 어투로 말했다.

"봐볼게."

나의 휴대폰을 찾기 위해 주머니를 뒤적거렸다. 당연히 없겠지만 찾아봐도 없으니 좀 당황했다. 내가 우왕좌왕 거리고 있자 그가 자신의 옆에 있던 서랍에서 휴대폰을 꺼냈다. 역시나 구식이었다.

"11시네. 꽤 오래 잤다."

"몇 시부터 잤는데?"

"너는 1시부터 잤고 난 아마 4시쯤? 난 술 마시면 잠이 안 오더라고. 아예 만취해서 곯아떨어지는 거 말곤 잠이 잘 안 와. 그래서 술은 원래 잘 안 마셔."

"아… 응. 형은 머리 안 아파? 난 너무 아파."

"라면 끓여줄까? 지하 내려가자."

"응."

29.

반채희와 주현아를 지하 입구에서 만났다. 반채희와는 그날 이

후로 서먹서먹 해져버린 탓에 어색했다. 반면 주현아와 유지운은 만난 지 꽤 돼 편하게 이야기를 주고받고 있었다.

"오빠! 서찬원이라는 사람이랑 친하다며?" 주현아가 말했다.

"어."

"그 사람한테 채희 좀 소개해 주면 안 돼? 채희가 그 사람 진짜 좋아했었단 말이야."

"음········· 근데 채희가 찬원이 취향이 아닌 거 같은데. 찬원이는 큰 사람 좋아해."

여기서 말해도 될지는 모르겠지만 반채희의 가슴이 작아서 한 말처럼 들렸다. 서찬원은 어제 보니 가슴이 큰 사람을 좋아하는 게 맞는 것 같았다.

"오빠 그거 성희롱이야!"

"아니 무슨 소리야? 키 큰 사람."

우리 셋은 동시에 납득했다. 반채희의 키가 아담해서 한 말이었다. 괜한 오해였다!

"그래도 혹시 모르니까 소개해 주세요!"

"음······ 그래." 그가 잠시 고민하다 입을 열었다.

"와 대박~! 오빠 고마워! 채희야 잘 해봐!! 우리 둘은 그만 올라갈게. 그리고 현규 선배 술은 적당히 마셔요!"

"어…?"

"어제 5층으로 가던 길에 현아를 만났어. 네가 우는 것도 봤고."

"아 형! 그런 건 빨리 말해줬어야지!" 얼굴이 화끈하게 달아올랐다.

"미안~ 너 놀리는 게 너무 재밌어. 네 반응이 커서 그런가
봐."

누군가 지하에서 에스컬레이터를 타고 올라왔다. 얼굴은 행복해
보이지 않았다.

"형. 늦게 일어나셨네요."

얼굴을 구기고 있는 전우현이었다.

"응."

"어제 술 마셨었어요? 술 냄새났어요."

"어, 마셨었어. 조금."

"다음엔 저랑도 마셔요."

"아직은 안 돼. 넌 아직 19살이잖아."

"19살이랑 20살이랑 무슨 차이가 있는데요. 게다가 몇 개월 후
엔 20살이에요. 미리 마셔보는 것도 나쁘지 않잖아요."

"내가 양심에 찔려. 몇 개월 후에 같이 마시자."

"솔직히 요즘 나이는 별 의미가 없잖아요. ……알겠어요. 제 성
격 좀 이젠 고쳐야겠어요. 형만 괴롭히네요. ……죄송해요."

그렇게 말한 그는 창백해진 얼굴로 뒤도 돌아보지 않고 자리를
떠버렸다. 그가 괜찮은 건지 모르겠다.

"현규야, 너 잇자국 보인다?"

"뭐? 그래서 우현이가 그렇게 기분이 안 좋았던 건가!"

"농담인데."

그가 나의 입술에 살짝 입을 맞췄다가 떼어냈다.

"으아악!" 뒤에서 익숙한 비명이 들렸다. 또 또 멍청한 실수를 저질렀다. 공공장소에서 키스는 하지 말아야 하는데!

역시나 뒤를 돌아보니 서찬원이 우릴 바라보며 파랗게 질려 있었다. 서찬원은 믿을 수 없다는 듯 우릴 쳐다봤다.

"어, 아니 이게, 무슨. 어? 둘이 남자, 어!?" 그는 고장 난 인형처럼 말했다. "어? 어!! 형! 어? 현규 씨 아니, 어??! 그래 난 아무것도 못 봤어. 어어 그래. 근데 둘이 뭐야!??" 서찬원이 이상해졌다.

"연인?" 유지운이 말했다.

"근데 둘이 남잔데, 어어 그래…. 요즘이 어느 시댄데. 아니 근데 길에서 키스는 좀 그렇지!! 현규 씨!! 안 그래요?!"

"제가 주도 한 거 아니에요…."

"너도 싫진 않았잖아?"

"근데 형 강세연 누나랑 약혼하기로 한 거 아니었어?"

"파혼한 지 오래됐는데."

"아……. 그래?"

"응."

"둘이 어…… 그래 연애 행복하게 잘하시고요…. 현규 씨 지운이 형 간수 좀 잘해요!"

"네? 왜 그걸 저한테."

그는 단숨에 이 자리를 떠버렸다. 붙잡을 수도 없었다. 다리가 길어 걸음걸이의 폭이 넓은 거 같다.

30.

그와 한 식당에 들어섰다. 분식집이다. 이 백화점엔 레스토랑과 같이 고급스러운 식당만 있는 줄 알았다. 좀 의외인 거 같다. 이 백화점은 까도 까도 무언가 나오는 것 같다.

"앉아있어. 금방 해올게."

"도울 거 없어?"

"응. 가만히 앉아있어."

여름의 뜨거운 온기가 우리를 안았다. 장마철이라 꿉꿉했다. 이 분식집은 왜 에어컨이 되지 않는 것이지? 나는 손부채질을 하며 그를 기다렸다.

"별로 오래 안 걸렸지?"

"응."

예쁜 그릇에 라면이 담겨 나왔다. 냄비째로 먹어도 되는데.

"근데 나, 라면 되게 못 끓이는데 괜찮아?"

"응, 맛있어." 맛없다.

정말 맛없었다. 토 나올 것 같았다. 세상에 이렇게 간편한 요리조차 못 만드는 사람이 있을 줄 몰랐다. 아, 너무 부자였던지라 라면조차 제대로 끓여본 적이 없는 것일까.

"형 앞으로 라면은 내가 끓일게."

"왜? 역시 맛없지?"

"………응."

"괜찮아. 나 스테이크 외엔 요리 진짜 못 하거든. 근데 너 진짜

착하다. 현아랑 채희는 구역질까지 했어. 세연 누나는 아예 입에 대지도 않았고. 근데 너는 선의의 거짓말이라도 해줬네."

"어………? 도대체 어떻게 하면 라면을 토 나오게 끓일 수 있는 거야?"

"그러게. 더 먹을 수 있어? 못 먹겠으면 버리자."

"………응."

"내가 버리고 올게." 그가 슬며시 미소 지었다.

"아냐, 내가 버릴게. 내가 형한테 항상 받기만 하잖아. 설거지도 내가 할게."

내가 잽싸게 음식물 쓰레기통에 라면을 버렸다. 정말 토 나올 거 같은 라면이다. 보기만 해도 다시 올라올 것 같다.

설거지하기 위해 고무장갑을 꼈다. 그가 나의 뒤에서 나를 껴안았다. 저번의 나와 그와 같이. 그가 나의 등에 자신의 머리를 대고 쌕쌕 숨을 쉬었다.

수돗물은 차가웠다. 한여름에도 차갑게 느껴지는 온도였다. 그의 손도 이렇게 차가운데, 그도 이 물을 차갑게 느낄까.

3층으로 돌아오니 강세연과 전우현이 싸우고 있었다. 무서운 기세였다. 그 둘은 서로를 몰아붙였다.

"아, 그럼 그냥 뒤지라고! 나한테 이딴 시비 걸지 말고! 진짜 당신 같은 거랑 대화하기도 이젠 토 나오고, 왜 내가 당신 같은 사람이랑 지내야 하는지도 모르겠어!!" 전우현이 헐떡거리며 소리질렀다.

"아 그냥 내가 죽을게. 그냥 죽는다고. 소리 좀 그만 질러. 시끄러워. 오늘 뒤져줄 테니까 조용히 해." 강세연이 웃음기 가신 얼굴로 말했다.

"우현아, 그만해. 왜 그러는 거야, 응? 따로 얘기 좀 하자." 내가 전우현의 팔을 붙들고 말했다.

"…싫어요. 형은 저랑 대화해봤자 저만 나쁜 사람으로 만들 거잖아요. 형이랑 별로 대화하고 싶지 않아요. 다음에 대화해요." 화를 억누르며 그가 말했다.

"우현아, 잠깐 얘기라도 나누자. 너 흥분한 것 같아. 진정하고 얘기 나눠보자."

"싫다고요. …죄송해요. 이러려던 건 아닌데. 형한테 화낸 거 아니에요. 죄송해요."

그렇게 말하고 그는 3층에서 사라져 버렸다. 유지운은 강세연을 달래고 있었다. 강세연은 얼굴에 핏기 하나 없이 그와 대화를 나누고 있었다. 우현이는 어디로 간 걸까.

31.

달이 또다시 떠오르고 잠들기 위해 침대에 몸을 뉘었다. 낮에 심각하던 그들의 모습이 눈에 아른거렸다. 강세연 누나가 걱정된다. 정말 어디서 죽어버리는 건 아닐지, 좀비에게 물린 채로 돌아오는 건 아닐지 걱정 때문에 도저히 잠이 오지 않았다. 우현이도 오늘따라 잠들지 못하는 거 같았다. 뒤척이기만 하던 그는 조금 괴

로워 보였다.

타앙! 하고 밖에서 커다란 굉음이 들렸다. 귀에서 삐- 하는 소리도 들렸다. 침을 꿀꺽 삼키며 자리에서 일어났다. 전우현도 그 소리에 귀를 틀어막고 있다 침대에서 일어났다. 유지운은 귀마개를 끼고 있었다.

문을 열어보니 강세연이 죽어있었다. 방문 바로 앞에서 죽어있는 그의 시체에선 아직도 피가 흘러나왔다. 사람이 죽었다. 그는 총을 머리에 쏴 자살한 것이었다. 아아아아아 이게 어떻게 된 일이지? 사람이 죽다니. 자살이라니! 뇌가 돌아가지 않는다. 몸이 얼어붙어 시체에서 눈을 떼어낼 수가 없었다. 숨이 고르게 쉬어지지 않았다. 숨을 제대로 쉬기 힘들었다.

"형! 형! 정신 차려요! 괜찮아요?" 전우현이 나에게 물었다.

숨을 헐떡이며 나는 고개를 저었다. 시체의 구멍이 뚫린 머리에서 움찔거릴 때마다 피가 울컥하고 나왔다. 아직은 신선한 피였다. 피비린내가 진동했다. 어째서 이런 일이 발생한 거지!? 낮에 있었던 그 사소한 싸움 탓인가!? 아아아아 어쩌면 좋아!?

"형, 똑바로 앉아요. 과호흡이신 거에요? 숨쉬기 힘들어요? 형 눈 감아요. 숨을 천천히 쉬어보세요. 형, 많이 걱정하지 마요." 내게 말하는 그의 목소리도 떨렸다.

"무슨 일이에요? 헉." 덩달아 나온 주현아도 새파랗게 질린 얼굴로 주저앉았다.

눈을 감아도 계속해서 그 장면이 떠올랐다. 울컥울컥 쏟아져 나오는 피, 위로 솟구쳐있는 눈동자가 머릿속에서 빠져나가지 않는다. 심장이 아프다. 심장을 부여잡았다. 많은 돈과 시간을 투자해 꽤 호전되었던 심장병이 다시 재발한 것일까, 두려움이 몰려왔다. 재발한다면 이젠 더 이상 수술을 받을 수도 없다. 그렇다면 시한부가 돼버린다. 무섭다. 이 상황도, 강세연의 시체도, 공포에 떨고 있는 주현아의 얼굴도, 귀마개를 낀 채 곤히 자던 유지운도 모두 무섭고 두렵다.

방으로 도망 와버렸다. 벽에 기대앉아 아픈 심장을 다독였다. 오늘 밤, 잠을 자기엔 그른 것 같다. 아아…… 이젠 나도 너무 늦어버렸다. 손이 새파랗게 변했다.

32.

약이 없다. 당연하게도 이 건물엔 없을 것이다. 만약 누군가 심장병에 앓았던 적이 있어 이 건물에도 약이 있다고 해도, 그 약은 내게 들지 않을 것이다. 나의 몸은 심장병에 내성이 생겨 더 이상 일반 심장병약은 섭취할 수 없다. 집에 가서 약을 챙겨와야 하거나 서서히 고통 속에서 살아가는 게 아닌, 죽어가는 수밖에 없다.

어젯밤 힘겹게 밤을 새웠다. 심장이 아파서 잠을 잘 수가 없었다. 너무나 피곤해 쪽잠 정도는 잤던 거 같다. 그것도 나의 피로를 채울 수준은 아니었다.

"어, 현규야 일찍 일어났네." 유지운이 침대에서 몸을 일으키며 내게 말했다.

"…못 잤어."

"뭐? 왜? 무슨 일 있어?"

"어제 새벽에 세연 누나가 총으로 자살했어. 나는 큰 소리에 잠이 다 깨버렸었는데 형은 귀마개를 끼고 있더라? 원래 형 안 끼잖아. 알고 있던 거야?"

"뭐를? 너, 내가 세연 누나가 총으로 자살할 걸 알고 귀마개를 꼈다는 소리야? 세연 누나가 자살했다는 것도 방금 알았어. 총으로 자살한 사실마저 네가 말해서 안 거야. 게다가 내가 알 방법이 없잖아? 미래를 보는 사람도 아니고. 그리고 평소에도 귀마개 끼고 자. 항상 너는 내가 자기 전에 자버리잖아." 그가 무표정으로 말했다. 이런 말을 내뱉으며 무표정으로 나를 노려보는 그가 조금 무서워 몸이 떨렸다. "세연 누나 시체는 어딨어? 다들 시체 만지기 꺼리겠지. 내가 치울게."

"할 수 있어? 무섭지 않아?"

"…전혀." 의미를 알 수 없는 옅은 미소를 띠었다.

"으아아아아아아아아아악!!" 평소보다 큰 그 익숙한 비명이 들렸다. 서찬원이다.

유지운이 문을 열고 나가자 피 냄새가 방 안으로 들어왔다. PTSD가 일어날 거 같아, 아무런 행동도 하지 못했다. 그래서 유지운이 어떻게 시체를 치웠는지, 시체의 행방은 어디인지 모른다.

"현규 씨!!"

닫힌 방문을 거세게 열며 서찬원이 들어왔다. 그는 평소와는 다르게 거칠게 숨을 쉬고 있었다.

"네?"

"가가가가강세연 누나가 주주주주주주죽었어요! 알고 계셨어요?!" 그가 심하게 말을 더듬었다.

"…네. 어젯밤에 크게 소리 났잖아요."

"전 원래 잘 때 귀에 귀마개를 꽂고 자서 소리가 하나도 안 들렸어요. 애초에 잠귀도 어두운 편이고요."

잠귀가 어두우면 귀마개를 왜 끼는 거야, 라고 생각했다.

"근데 현규 씨 괜찮으세요? 피부가 창백해요."

"아… 심장병이 있어서 그래요. 괜찮아요."

"그거 괜찮은 게 아니잖아요!? 약은 드셨어요?"

"아뇨. 약이 전부 집에 있는 터라 약을 먹으려면 집에 가야 해요."

"큰일이네요. 여기에 의사였던 사람 있을까요?"

"없을 거예요. 유지운 형 빼면 전부 학생이니까요, 이젠."

"…그러네요. 아… 몸조심해요."

"………네."

33.

옥상에 가니 담배를 피우고 있는 유지운이 있었다. 나를 본 그는 황급히 재떨이에 담배를 짓눌러 꺼버렸다.

"안 꺼도 괜찮아."

"넌 담배 냄새 안 좋아하잖아."

"안 좋아하기보단 건강에 안 좋으니까. 쓸쓸하네. 세연 누나랑

126

사이가 좋았던 것도 아니었는데 이젠 만날 수 없다는 게 좀 그렇네….”

“왜?”

“왜라니? 사람이 죽었잖아.”

“나는 그런 곳에 감정을 낭비하는 사람들이 이해가 안 돼. 사람이란 이 지구에 넘치고 넘치잖아? 주변 사람 한 명이 죽었다고 슬퍼해봤자 달라지는 건 없잖아.”

“형, 조금 미친 것 같아.”

“…그럴까. 난 내 부모도 내 손으로 죽였어. 좀비에 물렸더라고. 식칼로 두 사람의 심장을 찔렀어. 3초간은 의식이 있더라. 좀비로 변해가던 중에도 내게 할 말이 많아 보였어. 편하게 보내준 것뿐인데.” 아무렇지 않게 말하는 그가 두렵다.

“나도 내 아빠를 내 손으로 죽였어. 우리 아빠는 완전히 좀비가 돼서 이성을 잃은 상태였어. 그래서 죽일 수 있었는데… 형은 도대체 뭐야?”

“그러게. 정신이상자인 걸까?”

“어?”

“농담이야. 정신이상자일 리가 없잖아. 나도 감정이라는 걸 느껴. 그래서 너한테도 사랑이라는 걸 하잖아. 정신이상자였다면 네게도 사랑을 느끼지 못했을걸. 단지 사람이 죽는다는 거에 무덤덤할 뿐이야. 인간은 정해진 수명이 있는 법이야. 그때 슬프나 지금 슬프나 슬픈 건 똑같아. 안 그래?”

“그래도 말이야.”

"…잇자국이 옅어졌네. 다시 깨물어도 돼?"

"…안 돼. 말 돌리지 마, 형. 잇자국 얘기는 지금 안 나와도 되는 거잖아."

"화제를 바꾼 것뿐이야."

"그게 말 돌린 거랑 마찬가지잖아."

"맞네. 생각 없이 무식하게 내뱉은 말이었어. 잊어줘."

갑자기 심장이 쓰러질 듯 아파졌다. 난간을 붙잡고 주저앉았다. 아아아 너무도 고통스러운 순간이다. 숨마저 제대로 쉬어지지 않는 호흡곤란이 왔다. 약이 절실하다. 약이 필요하다.

"왜 그래? 웬 과호흡이… 피부가… 너 혹시 심장병 있어? 이 질문엔 대답하지 마. 지금 너 호흡부터 문제니까. 편하게 앉아서 심호흡해. 숨이 알아서 쉬어지게 놔둬."

내 마음대로 되지 않는다.

34.

기타를 치고 싶어졌다. 몇 년 전부터 줄곧 나는 기타를 치곤 했다. 유일한 재능이었다. 하지만 소리에 반응하는 좀비들 때문에 음악을 하지 못했다. 현규 형이 나의 기타 연주를 듣고 즐거워하는 표정도 보고 싶다. 형은 어디에서 뭘 하고 있을까.

얼마 전 서찬원이 특이한 공간을 소개해줬다. 바닥엔 가슴이 큰 여자들의 사진들로 가득 찬, 도박장이 있는 곳이었다. 그곳의 바닥은 못들이 울퉁불퉁하게 튀어나와 있었다. 뾰족한 나무 바닥이 튀어나와 있는 것도 있어 꽤 위험해 보였다.

"여기 백화점인데도 이런 마감 처리는 별로네." 내가 말했다.

"흠, 그러게. 뭘까. 비싸 보이는 술도 많네. 우현아, 잠시 이리 와 봐." 서찬원이 대답했다.

"아."

멀리 떨어져 있는 서찬원에게로 향하다 발이 걸려 넘어지고 말 았다. 하필 마감 처리가 제대로 되지 않은 바닥이었다. 그대로 뾰 족한 못이 왼쪽 눈 안으로 파고들어 왔다. 말을 할 수 없는 고통 이었다. 뇌의 끝까지 전해지는 찌릿찌릿한 고통이 무척이나 싫었 다. 자리에서 일어나 왼쪽 눈을 붙잡고 덜덜 떨었다. 왼쪽 눈이 보 이지 않는다. 눈알을 뽑아버리고 싶은 고통이다. 차라리 기절했으 면 덜 아팠을 것이다. 왼쪽 눈의 동공에서 뜨거운 무언가 나오는 것이 느껴졌다. 무엇인지 모르겠다.

"너 괜찮아!? 왜 그래!?" 서찬원이 바닥에 주저앉아 몸을 덜덜 떨며 눈을 붙잡은 나를 보며 의아했는지 다급한 목소리로 말했다.

"눈, 눈이 못, 하아, 하." 말을 이어나갈 수 없었다.

그가 잠시 뛰어나가더니 구급상자를 들고 왔다. 나의 왼쪽 눈을 살피더니 아무런 말도 하지 않았다.

"시발, 씨발⋯."

시력을 잃은 것 같다. 왼쪽 눈앞이 전혀 보이지 않는다. 왜 내 게 이런 일이 일어나 버린 것일까. 큰 것 바라지 않고 단지 형과 행복하게 사는 것을 바랐을 뿐인데. 내게 그는 너무 과분했던 것일 까. 이 고통에 아무런 생각이 들지 않게 되었다. 고통이 멈추지 않는다.

"나 기절시켜줘." 힘들게 그에게 말했다.

그러자 그는 무덤덤하게 나의 명치를 발로 세게 걷어찼다. 토가 밀려 나올 거 같은 고통에 헉, 하고 신음이 나왔다. 장기가 일렁이는 거 같았다. 숨이 쉬어지지 않는다. 마약을 한 사람처럼 중심을 잡기 어려웠다. 이내 바닥에 쿵 소리를 내며 다시 머리를 박았다.

눈을 떠보니 소파에 누워있었다. 아까 전 그 고통은 없어져 있었다. 시간이 얼마나 흐른 건지 모르겠다. 왼쪽 눈앞이 보이지 않는 건 여전했다. 굉장히 암울하다. 눈물이 났다. 억울함과 분통함이 당긴 눈물이었다. 눈물을 털어내고 거울을 봤다. 오른쪽 눈으로 본 나의 왼쪽 눈은 동공이 찢어져 있는 상태였다. 의사도 이 동네엔 남아있지 않을 터인데, 어떻게 해야 할지 모르겠다. 우선 구급상자를 뒤져 안대를 꼈다. 검은색 안대 때문에 더욱 눈에 띄었다. 오른쪽 귓불에 있는 피어싱이 반짝였다.

서찬원이 흐트러진 머리로 이 도박장에 들어왔다. 서찬원의 처음 보는 모습이었다. 울기라도 했는지 눈가는 붉은색으로 물들어있었다.

"야, 서찬원."

"우현아. 눈 괜찮아?"

"어. 이제 아프거나 하지도 않아. 이 안대 많이 눈에 띄어?"

"아니⋯." 그가 울먹거리며 말했다.

"뭐야, 왜 네가 울려고 해?"

"아니야. 안 울어."

"새끼가, 안 울긴. 눈 빨개."

"나 때문에 네 눈이 그렇게 된 것 같아서."

"아 너 때문이겠냐? 어휴, 그냥 내 발이 걸려서 그런 거지. 너 때문이 아니야."

"미안해."

엉엉 아이 같이 우는 바보 같은 서찬원을 끌어안았다. 자기 탓을 해대는 서찬원이 한심해 한숨을 크게 내쉬었다. 서찬원의 완벽하지 않은 모습은 처음 봤다. 항상 차려입던 옷과 세팅 해놓았던 머리를 전부 풀어놓은 서찬원의 모습으로 미루어봐 곧 잠들어야 할 시간인 것 같다.

35.

전우현이 눈에 안대를 착용하고 있다. 얼굴은 침울해 보였다. 무슨 일이 있는 게 분명했다. 울었는지 눈가가 빨갛고 부어있다.

"우현아."

"아, 네? 형 왜요?"

"안대, 무슨 일이야?"

"아… 아무것도 아니에요. 잠깐 부어서."

"괜찮은 거 맞아? 한번 보자."

그의 안대로 손을 뻗었다.

"아 안 돼요. 사실 왼쪽 눈이 못에 찔려서 동공이 찢어졌어요.

각막도 아니고 동공이요. 보기 흉해요. 그래서 안대 꼈어요." 그가 나의 손을 약하게 잡으며 말했다.

느꼈을 고통조차 상상되지 않는다. 살면서 단 한 번도 생각해 본 적 없던 사고였다. 그의 얼굴은 감정을 알 수 없는 표정을 하고 있었다.

걸리는 게 있다. 얼마 전 꿈의 그 일이다. 전우현의 피어싱으로 왼쪽 눈을 찔러 그 상태로 기절과 함께 꿈에서 깨어나게 되었는데, 그것과 관련된 것일까. 꿈은 꿈일 뿐이다. 깊게 생각 안 하는 게 좋을 거 같다.

"형, 형. 저 너무, 슬퍼요. 아아아……. 왼쪽 눈 시력을 잃었어요. 왼쪽 눈이 보이지 않아요. 어두운 세상뿐이에요. 왜… 왜 이렇게 되어버린 걸까요. 제가 신에게 무슨 미움을 샀길래 저한테만 이런 일이 일어나는 걸까요………."

그가 눈물을 쏟아내며 나의 품에 기대었다. 내가 아무것도 해줄 수 없다는 게 미안하고 또 미안하다.

"울어봤자 변하는 건 없겠죠. 신에게 빌 거에요. 좀비 사태가 제발 끝나게 해달라고요. 좀비 사태가 끝났으면 좋겠어요. 대학병원에 가야 할 거 같아요."

눈물 때문인지 축축하게 젖은 그의 안대가 얼굴에서 유난히 돋보였다.

36.

유지운 그가 또 사라져버렸다. 또 말도 없이 가버렸다. 유지운 그가 없다면 나는 무엇을 해야 하지? 유지운이 없던 때엔 내가 어떻게 살아왔는지 기억나지 않는다. 유지운이 없는 나는 텅 빈 냉장고일 뿐이다. 유지운으로 채워져야 한다. 유지운은 내게 말도 없이 떠나고 어디를 갔다 왔는지도 말해주지 않는다. 조금 기분 나쁘다. 침대에 대자로 누워 그의 생각에 빠졌다. 이거 그냥 그에게 미쳐버린 거 아닐까.

"어, 형. 여기 계셨네요. 한참 찾았어요." 전우현이 방문을 열고 들어오며 말했다.

"아… 응. 눈은 괜찮아?"

"잘 모르겠어요. 이쪽 눈은 이제 아무런 감각도 느껴지지 않아요. 여름도 어느 정도 지나가고 있네요. 매미의 울음소리가 옅어졌어요. 거의 안 들리는 낮도 올 때가 있고요. 전 여름이 좋아요. 낭만적인 계절인 거 같아요." 그가 나의 침대에 걸쳐 앉아 말했다.

"보통 낭만적인 계절은 겨울이라고 하지 않아?"

"저는 여름인 거 같아요. 여름이 오히려 더 아름답잖아요. 푸른 나무들과 새파란 하늘이요. 그리고 뭉게구름들. 얼마나 아름다운 풍경이에요. 새들이 지저귀는 것도 맘껏 즐길 수 있고 바다에 가서 수영도 할 수 있잖아요."

"그렇구나. 난 더위를 많이 타서 여름은 별로 안 좋아해. 난 봄이 좋아. 꽃이 피는 계절이라 마음에 들어. 꽃은 바라볼수록 마음이 편해져."

"정말요? 저는 그렇게 생각하면 모든 계절이 좋아질 거 같아요. 제 옆에 형이 있다고 가정하면요."

"응. 난 옥상에 올라가 볼게. 눈 많이 아프면 말해. 그땐 진통제라도 찾아 줄게."

"네. 같이 올라가도 돼요?"

"……응. 너 편한 대로 해."

"네!"

37.

비가 올 것 같은 아슬아슬한 날씨였다. 여름도 이젠 거의 다 가고 있는데, 비는 계속해서 내렸다. 유지운이 우산은 챙겨 갔는지 걱정됐다. 비에 쫄딱 젖어 감기에라도 걸리면 안 되니. 그는 아프지 않길 바란다. 아픈 건 나 혼자로도 충분한데, 전우현은 왜 또 다친 걸까. 속상하다.

벤치에 몸을 기댔다. 풀벌레들이 우는 소리가 일정했다. 나와 유지운이 키스를 했던 때가 떠올랐다. 그의 입술은 부드럽지만, 혀는 쓰다. 전우현이 가만히 앉아 골똘히 무언가 생각하는 것 같이 보였다. 방해하진 않았다.

"형."

"응."

"…요즘 허리는 어때요?"

"요즘에도 조금씩 아파."

"그래요? 허리 주물러 드릴까요?"

"괜찮아."

"형… 형은 절 어떻게 생각하고 계신 거예요?"

내가 입을 열기도 전에 하늘에선 폭우가 쏟아져 내렸다. 하늘이 노한 것인지, 땅이 뚫어지듯 쏟아지는 폭우였다. 비에 옷을 몇 벌이나 빤 건지 모르겠다.

"안으로 들어가자."

다급히 뛰어 건물 내부로 들어갔다. 전우현의 표정에는 감정이 실려있지 않았다.

"옷이 다 젖었네. 무슨 저런 폭우가 갑자기 내리는 거야."

"그러게요. 비 맞아서 그런지 좀 춥네요." 전우현의 표정은 좋지 않았다.

"왜 그래? 표정이 안 좋네. 어디 안 좋아?"

"…가슴이 안 좋아요. 가슴이 답답해요."

"뭐? 괜찮아? 많이 안 좋아?" 그가 심장병일까 걱정되었다. 나 혼자만이 아프면 되는데.

"네? 괜찮아요. 그런 뜻이 아니었는데. 왜 그래요? 형, 왜 그렇게 걱정하시는 거예요?"

"아… 아…, 지인 중의 한 명이 심장병이었거든…. 또 한 명의 사람을 잃을까 걱정됐어."

나를 주변인에 빗대어 말하면 그가 모를 줄 알았다. 눈치가 너무나도 빠른 그는 이미 나의 말이 거짓말이라는 걸 알아차린 것 같다.

"형, 작년에 학교 안 나온 게 심장병 때문이에요?"

"아니야. 내 이야기가 아니래도."

"거짓말 마요. 형 저번에 호흡곤란 온 것도 심장병 증상 중 하나잖아요. 예전에 형이랑 형 집에서 지냈을 때 약 봉투들 봤었어요. 혹시나 했는데…. 형이 심장병이었군요."

"내가 아니라니까…."

"거짓말 마세요. 손도 이렇게 차가운데요. 저번에 형 집에서 약 봉투 발견하고 심장병을 공부 좀 했어요. 그러니까 거짓말하실 생각 마세요."

"…응. 이젠 어쩔 도리가 없네. 너에겐 들키고 싶지 않았는데."

"…네. 저 먼저… 내려가 볼게요. 형, 아프시면 말해요."

그리곤 그는 어두운 얼굴로 계단을 빠르게 내려갔다. 그의 뒷모습마저 보이지 않아졌다.

38.

라운지가 있는 5층으로 갔다. 5층엔 반채희가 소파에 앉아 과자를 까먹고 있었다. 발소리가 들려 반채희가 고개를 돌려 나를 봐버렸다. 그러자 그는 급하게 자리를 떠날 채비를 했다.

"나 피하는 거야?" 내가 그에게 말했다.

"…아니에요."

"화 안 낼게. 말 해봐."

"…맞아요."

"아… 그렇구나. 왜 피하는 거야?"

"………몰라서 물어보시는 거예요? 저번에 키스하는 거 본 것도 마찬가지고요, 선배 가슴이랑 목에 있는 잇자국 전부 다 봤어요. 그리고 선배 목덜미에 있는 키스 마크도요."

키스 마크라니? 나는 유지운과 잇자국까진 남겼어도 그런 건 남긴 적 없다. 무슨 소리지?

"난 키스 마크 같은 거 남긴 적 없는데."

"………하………. 그럼 더 이야기가 싫게 흘러가잖아요. 선배 잘 때 몰래 했다는 거 아녜요!" 그가 머리가 아픈 듯 머리에 손을 짚고 말했다.

"아 그래?!"

나는 화장실로 달려 들어가 나의 목덜미를 살폈다. 슬쩍슬쩍 보이는 빨간 자국이 거슬릴 정도로 돋보였다. 안경 너머 거울 속 나의 눈은 묘한 기를 띠고 있었다. 유지운에게 푹 빠져버린 거 같다. 거울 속의 나의 눈에서 시선을 떼어냈다. 유지운은 무슨 생각으로 이런 짓을 저질렀을까.

화장실을 나오니 주현아가 있어 깜짝 놀랐다. 주현아는 당돌한 표정으로 내게 말했다.

"서찬원 오빠 어딨는지 아세요?"

"아마 바에 있을 거야."

"바요? 여기에 바도 있어요?"

"아 몰랐어? 지하에 골목 같은 길로 쭉 들어가면 바가 하나 나와. 거기에 있을 거야. 데려다줄게."

"네! 좋아요."

주현아에게서 달콤한 복숭아 냄새가 났다. 주현아는 복숭아를 빼닮은 거 같기도 하다. 이상한 생각이다.

역시나 바에 가니 서찬원은 혼자서 당구를 치고 있었다. 당구를 혼자 치면 재미가 있을까? 바닥에 떨어져 있는 구급상자를 발로 차버릴 뻔했다. 이게 왜 여기에 있는 거지.

"오빠! 저 전우현 선배랑 밀어주세요!" 주현아가 큰 목소리로 말했다.

그 말을 들은 서찬원의 표정은 심란해진 것 같이 보였다. 눈동자가 양쪽으로 흔들렸다. 혹시 주현아를 좋아하는 것일까?

"너 우현이 좋아해?"

"네!"

"싫어. 나 바빠."

"뭐가 바쁜 건데요! 지금도 당구 치고 계시잖아요!"

"제대로 보고 있네. 그래, 당구 치느라 바빠. 미안, 다른 사람 찾아봐."

"아아 제발요! 요즘 전우현 선배랑 제일 친해 보이는 건 오빠란 말이에요!"

"싫어."

"흥! 그럼 저 가볼게요."

주현아는 말을 끝내자마자 뒤를 돌아 바에서 나갔다. 서찬원은 튕겨 나간 당구공을 주우려고 몸을 숙였다.

"우현이랑 친하세요?" 내가 그에게 물었다.

"아… 네. 이곳에서 동갑인 사람이 없으니까 친해질 수밖에 없는 거 같아요. 동성에다가 동갑이니깐요."

"그렇네요."

"지금 몇 시예요?"

"11시 반쯤이에요."

"아, 그럼 저 먼저 가볼게요. 우현이랑 밥 먹기로 해서요."

"새끼야… 네가 여기서 자라며."

전우현의 잠긴 목소리가 들렸다. 그 목소리는 바 깊숙한 곳 소파에서부터 들려왔다. 전우현의 얼굴을 살피기 위해 그 깊숙한 곳으로 들어갔다. 전우현은 눈을 비비며 일어나고 있었다. 전우현은 한쪽 눈으로 나를 보고 화들짝 놀라 머리를 정리했다.

"왜 여기서 자?"

"아… 3층에서 혼자 자기엔 너무 방이 큰 거 같아서요."

"그럼 나한테 말하지. 같이 잤을 텐데."

"다음엔 말씀드릴게요."

전우현의 오른쪽 눈이 퉁퉁 부어있었다.

"저 그럼 밥 먹으러 가볼게요. 형도 밥 드세요."

"어, 응."

전우현이 슬픈 얼굴로 자리를 박차고 떠났다.

39.

혼자 밥을 먹던 중 유지운이 나의 옆자리에 앉았다. 오늘도 화학 약품 냄새와 함께 돌아왔다. 꽤 일찍 온 그 덕에 웃음이 났다.

"나 보고 싶었어?"

"응. 맨날 말도 없이 사라지니까 말이야."

"그건 미안하네. 나도 이렇게 빨리 돌아올 수 있어서 기뻐. 너와 금방 만나게 되니까 좋네. 나 먹어도 돼?"

"응? 아 되지."

"그럼 오늘 밤에 5층으로 와." 그가 음탕한 미소를 짓고 나를 바라봤다.

"무, 무슨 소리야? 먹어도 되냐고 물어봤잖아."

"응. 너를 먹어도 되냐는 말이었는데."

"주어가 없으니까 헷갈리잖아! 난 안 돼."

"왜? 하기 싫어?"

"나중에 하자⋯. 형 나 밥 먹고 있잖아⋯."

"응? 대답해주면 안 돼? 난 너랑 진짜 하고 싶은데. 왜 안 돼?"

"아니 그⋯ 좀⋯ 아 뭐라고 해야 할지 모르겠어. 그런 얘기는 내가 술 취했을 때나 해주면 안 돼⋯? 맨정신에 그런 얘기 들으려니까 좀 그래⋯."

"그래? 그럼 우리 결혼하면 어떡하지? 맨날 그것만 하게 될 텐데."

그가 흐뭇한 미소를 짓고 나를 바라봤다. 숟가락에 밥을 얹어 그의 입 앞에 가져다 댔다. 그는 아기 새같이 입을 아 하고 벌렸다. 귀엽다.

"밥 잘하네."

"응, 아무래도 대기업 냉동식품이니까."

"어, 그래? 너 진짜 웃기는 애네. 귀여워. 볼 꽉 차게 웅웅 거리면서 먹는 것도 햄스터 같고 귀여워."

"웅웅 거리면서 먹는 게 뭐야⋯."

"있어, 정말 귀여운 거. 남자한테 이런 감정을 느끼는 것도 처음이야. 너 너무 귀여워. 키스해도 돼? 하고 싶어. 하자. 하게 해줘."

"다 먹고 하자."

"응."

시무룩해 하는 그의 표정을 보니 그릇을 빨리 비울 수밖에 없었다. 밥을 싹 비우자마자 그는 나의 옷 안에 손을 넣고 다급하게 키스하기 시작했다. 쓰디쓴 혀를 다시 마주했다. 배꼽에서부터 목까지 올라온 그의 손은 찼다. 그가 다시 슬슬 손을 아래로 내리기 시작했다. 내려간 그의 손이 나의 바지 지퍼 근처까지 갔을 때 즈음, 식당 문이 열렸다. 눈을 떠보니 서찬원이 있었다. 그가 공황이라도 온 것 같은 얼굴로 문을 다시 닫고 떠났다. 바지 지퍼 쪽이라 멀리서 보면 이상하게 보일 텐데, 이런 모습을 하필이면 서찬원에게 들키다니!! 차라리 죽을래!!

"또 들켰다." 그가 덤덤하게 말했다.

"이걸 그렇게 덤덤하게 말 할 수 있는 거야!? 나 이제 서찬원 씨 얼굴 어떻게 봐! 아아아아 죽고 싶다! 진짜 인생 망했어."

"괜찮아. 찬원이 입 무거운 애니까 걱정할 필요 없어. 그리고 이미 전에 키스한 거 들켰을 때 우리가 그거 할 것도 생각해 놨었을 거야 걔는. 그러니까 아무런 걱정 안 해도 돼."

"어떻게 걱정을 안 해…."

"괜찮으니까 내 곁에서 평생 떠나가지 말아줘."

그렇게 말하고 그는 나를 껴안고는 고양이 같이 얼굴을 비볐다.

40.

밤이 깊었다. 왜인지 머리가 어지러웠다. 어두컴컴해진 방을 헤집고 나의 침대로 향하려고 했다. 나도 모르게 유지운의 침대에 몸을 박고 말았다. 유지운은 그런 나를 반겨주었다. 실수였는데. 전우현이 방에 없는 것으로 봐선 서찬원이랑 자기로 한 것 같다. 오늘만큼은 유지운을 조금 조심해야 할 거 같다. 무슨 짓을 당할지 모르니.

"난 네 배가 좋아."

"내 배?"

"응, 정말 살아가기 데 필요한 살과 근육뿐인 거 같아."

"정말 변태 같은 말이네."

"난 너 같은 몸이 좋아. 그냥 너니까 좋은 걸지도 모르겠네." 그가 나를 껴안고 말했다. "정말 필요한 양의 살만 있는 게 좋아. 너는 왜 이렇게 모든 게 완벽한 거야."

"형도 말랐잖아."

"아니. 난 요즘에 근육 붙었어. 살도 꽤 쪘고. 너 몰라주는 거 진짜 너무 한 거 아니야?" 그가 입술을 쭉 내밀고 내게 말했다.

"아 그래…? 미안."

확실히 그의 팔에도 단단한 근육이 붙었다. 처음 봤을 때와는 사뭇 다른 모습이었다. 여태까지 눈치 못 챘던 것이 무안해질 정도이다.

"키스해도 돼?" 내가 말했다.

"당연하지. 언제나 해도 돼."

"응."

그를 위에서 덮치고 있는 듯한 자세로 키스를 했다. 그가 나의 귀를 쓰다듬었다. 간지러운 듯 이상한 기분이 들었다. 무슨 소리가 나오려는 걸 힘겹게 참아냈다. 기분이 이상하다. 기분이 좋다고 표현하기엔 좀 쾌락 쪽에 가까운 거 같다. 아… 이상해.

"너 표정 지금 진짜 변태 같아." 그가 말했다.

"뭐?"

"기분 좋아?"

"뭐가?"

일부러 모른 체했다.

"귀 만져주면 기분 좋냐고. 내가 귀 만져줄 때 너 되게 쾌락에 가득 찬 얼굴 하고 있어. 알아?"

"아니! 몰라…. 그런 거…."

"그래?"

"당연하지. 나 이제 내려갈래."

"가지 마. 오늘은 전우현도 없고 같이 자자." 그가 나의 손목을 붙잡고 말했다.

"으응…. 근데 아침에 우현이가 올 텐데 그럼 어떡해."

"괜찮아. 아침에 우현이는 이 방에 안 올 거야."

"왜?"

"서찬원이 있으니까."

"찬원 씨랑 우현이랑 그렇게 친했었나."

"응. 둘이 나이도 같잖아. 통하는 게 많나 봐. 찬원이도 자기 또래 만나는 거 오랜만이고."

그가 나에게 팔을 벌렸다. 그의 침대에 누워 품에 다시 안겼다. 좋은 향기가 났다. 아 좋다…. 이 순간이 영원했으면 좋겠다고 매일 몰래 속으로 생각한다.

41.

"넌 키스 해본 적 있어?" 서찬원이 나한테 물었다.

"아니. 넌 있냐?"

"나도. 이 외모가 아깝지 않아? 왜 여자친구가 안 생기는지 모르겠다."

"네 성격이 그러니까 그래. 네가 그런 성격인데 여자친구가 생기겠냐."

"하… 그런가. 근데 너, 게이야?"

훅 치고 들어온 그의 말에 뭐라고 답해야 좋을지 모르겠다. 형을 좋아하는 것을 게이라고 해야 할지도 모르겠다. 남자를 좋아하는 게 아니라 형을 좋아하는 건데, 이건 뭐지? 게이인 건가?

"갑자기?"

"그냥 네가 현규 씨 볼 때면 되게 사랑에 빠진 사람 같아 보여서. 아니면 말고."

"나도 모르겠는데. 게이는 아니야. 근데 현규 형은 좋아. 남자를 좋아하는 건 아닌데."

"너, 너 민현규 그 사람 좋아해?" 그가 당황한 얼굴로 말했다.

"응. 꽤 오랫동안 좋아했는데 형이랑 요즘 사이가 별로 안 좋은 거 같아. 그리고 다들 형이랑 유지운이라는 사람이랑 꽤 친하다고 하던데, 나보다 친한 걸까."

"어, 아, 아니 그건 아닐 거야. 네가 더 친할 텐데···. 근데 나 할 말 있는데."

"뭔데."

"분명 말하면 네가 이상하고 미친 정신병자라고 볼 게 뻔하지만, 입이 근질거려 참을 수가 없겠어···. 이 말을 안 하면 죽고 나서도 마음 편히 눈도 못 감을 거 같고. 서론이 길었네. 나 너 좋아하나 봐. 자꾸 네가 머릿속에서 맴돌아. 너를 만나고 이상해졌어. 우리 만날래?"

그가 내게 게이냐고 물어본 게 이거 때문이었나? 걱정이다. 고백을 거절하면 그와 친구 사이로 남을 수 있을까? 어젯밤처럼 같이 잘 수 있을까? 사이가 틀어질 거 같다. 왜 나한테 고백을 한 거지?

"어………. 뭐라고 반응해야 할지 모르겠네. 음… 우린 친구로 남는 게 좋을 것 같다. 음… 미안. 내가 현규 형 좋아한다는 거 듣고도 왜 그런 말을 한 거야? 어쨌거나 우린 친구 사이로 남는 게 좋을 거 같아. 미안." 당황하여 같은 말을 두 번이나 해버렸다.

서로의 침대에서 서로를 바라보며 누운 채 우린 조용해져 갔다. 달빛이 새어 들어오는 창문 하나가 있는 방에서 그의 머리카락과 눈이 달빛에 비쳤다. 그의 머리가 달빛 때문에 하얀색으로 보이는 착시가 일어났다. 자리에서 몸을 일으켜 세워 침대에 등을 기대고 앉았다. 그러자 그도 같이 몸을 일으켜 세웠다.

"내가 더 잘해줄게!" 그가 애잔한 눈빛으로 말했다.

"난 현규 형이 좋다니까. 네가 그렇게 말 해봤자 너랑 만날 생각 없어. 괜히 상처나 받지 말고 그만해."

"그렇지만 정말 잘할게. 나한테 너를 내 걸로 만들 시간 좀 주면 안 돼? 정말 할 수 있어!"

"그럼 2주 안에 해봐. 절대 못 할걸. 현규 형 말고는 마음이 안 가. 주현아도 그렇고. 근데 나 인기 많네? 아 역시 이 외모면 다 먹히는구나."

"우와 진짜 한대 패고 싶다."

"한 대 쳐볼래? 나 복근 있어. 힘줄 테니까 단단한지 봐봐."

"미친놈이네, 이 새끼?"

"왜 좋다고 할 땐 언제고."

"우리 헤어지자." 그가 내게 진지한 얼굴로 말했다.

146

"뭔 개소리야."

"네가 이런 모습이 있는 줄 몰랐어. 헤어져." 그가 말도 안 되는 연극을 벌였다.

"자기야, 이러지 마. 우리 좋았잖아." 영혼 없는 목소리로 그의 장단에 맞추어 주었다.

"그래. 그럼 계속 좋아지자. 자기야." 그가 음흉한 표정을 짓고 말했다.

"시발 싫어!" 내가 소리쳤다.

42.

아프다. 온몸이 쓰라리다. 차가운 공기가 나의 몸을 감싸는 게 느껴졌다. 차가운 공기가 나를 짓밟는 것 같았다. 폐가 짓눌렸다. 거친 숨만이 힘겹게 나왔다.

"많이 아파?"

유지운이었다. 유지운이 나의 볼을 쓰다듬었다. 차가운 손결이었다. 이 손의 온도는 유지운 밖에 가지고 있지 않을 것이다. 언제까지고 기억할 것이다. 내가 이 세상에 없어질 그 순간까지.

"열이 높네. 약을 찾아올게. 버틸 수 있겠어?"

"응. 고마워."

끼익하며 낡은 문이 열리자 또 혼자가 되어버렸다. 손이 떨렸다. 심장이 또 아프다. 힘들게 내쉬던 숨마저 꺼져버릴 거 같았다. 괜찮은 걸까. 죽어버리면 어쩌나 하고 심장이 두근거렸다.

"형 있어?"

문이 열린 건 유지운이 아니라 서찬원이었다. 서찬원은 고통을 겪는 나를 보고 눈이 휘둥그레졌다. 형이라고 한 걸 보니 유지운을 말한 것 같다.

"어, 괜, 괜찮으세요? 왜 그러시는, 어… 괜찮으신 것 같진 않은데, 많이 안 좋으세요? 왜 혼자 계시는 거예요? 언제나 지운이 형이랑 붙어 계시는 줄 알았는데."

"형이 약 가지러 갔어. 찾으러 간 쪽이 맞을 거 같네요. 갑자기 건강이 악화해서 아무것도 할 수 없게 되었어요. 제가 찾으러 갈 순 없어서요. 얼마 전까진 저도 약이 있었는데 전부 먹어버려서 약이 떨어졌어요. 이건 좀 쓸모없는 이야기인 거 같네요."

"아 아니에요. 괜찮아요. 많이 안 좋으신 거예요? 얼굴이 되게 빨간데 열이 높으신가 봐요. 언제부터 그러셨는데요?"

"오늘부터요. 상태가 꽤 심각해서 걱정이네요. 건강해졌다고 생각했는데."

"아, 저 상비약 몇 개 가지고 있어요. 저는 아니고 우현이 것이지만요. 우현이 가방에 있을 거예요. 꺼내드릴게요."

전우현에게 약이 있었다니? 그럼 내게 왜 약을 찾아주겠다고 한 거지? 전우현은 요즘 따라 비밀로 꽁꽁 감춰져 있다.

"…네. 그런데, 그래도 되는 거예요?"

"되겠죠? 우현이랑은 가장 친한 친구니까요."

그렇게 말하고 그는 전우현의 가방을 열어 약을 꺼냈다. 진통제와 두통약, 소화제, 해열제, 복통약, 수면제가 들어있었다.

"어, 수면제도 있네요? 그런데 거의 비어 있어요." 그가 수면제 약통을 덜그럭 흔들며 말했다. "웬 수면제죠? 게다가 가방 안에 아직 한가득 이에요. 얘가 수면제 먹고 자는 애예요?"

"아뇨."

나는 전우현에 대해 아는 것이 없다. 전우현이 미혼모의 외아들인 것, 축구부라는 것, 생일이 1월 12일이라는 것 외엔 아는 것이 아무것도 없다. 그래서 왜 수면제를 먹는지도 모른다. 수면제를 언제부터 먹었는지도. 도대체 언제부터 먹어온 거지? 머리가 지끈거리며 아파져 왔다.

방문이 격하게 열렸다. 전우현이 평온한 얼굴로 들어왔다. 그에게 물어볼 것이 많다. 전우현은 서찬원의 손에 들려있는 수많은 약통을 보고 얼굴이 새파래진 채 그에게로 쿵쿵거리며 걸어갔다.

"뭐 하는 거야! 왜 남의 가방을 마음대로 뒤져?" 그가 역정을 내며 서찬원의 손에 들린 수면제를 빼앗았다.

"어? 미, 미안. 현규 씨가 아파하셔서 네 진통제라도 드리려고 했어."

"그럼 진통제만 꺼내면 되잖아! 수면제는 왜 꺼내는 거야?" 그가 심호흡하고 말을 이었다. "형, 어디 아파요?"

"응. 온몸이 아프네. 왜 그러는 건지는 모르겠어."

"많이 아파요? 괜찮아요? 물 떠다 드릴게요. 일단 제 진통제 드세요. 효과가 빨리 드는 약이라 금방 괜찮아질 거예요."

"잠시만 우현아. 할 말 있어. 잠깐만 시간 내 줘."

"어? 네! 좋아요." 그가 활짝 웃은 채 말했다.

서찬원을 보니 황당한 표정으로 전우현의 침대에 앉아있었다. 허탈해 보였다. 우린 그런 그를 뒤로하고 방을 나섰다.

43.

아픈 몸을 이끌고 복도에 있는 소파에 앉은 채 그에게 입을 열었다.

"수면제, 뭐야?"

그의 동공이 양옆으로 심하게 흔들렸다. 공황이 온 듯한 그의 얼굴을 보고 괜히 말을 꺼낸 거 같다고 속으로 생각했다. 한참 후 그는 심호흡하고 난 뒤 내게 말 했다.

"숨길 생각은 아니었어요. 근데… 말씀드릴 타이밍을 못 잡아서… 죄송해요. 저… 그게 어떻게 된 거냐면 좀비 사태가 일어난 그 날 저희 엄마가 계셨었잖아요. 저희 엄마의 심장을 뜯기는 광경을 본 후로는 잠에 쉽게 들 수 없었어요. 눈을 감으면 그 광경만 떠올라서 잠을 잘 수가 없었어요. 정신병원에 가서 검사를 받아봤는데 정확한 병명은 안 나오고 외상 후 스트레스 장애의 증상과 비슷하다고 했어요. 일단 수면제를 받고 형 집에서는 약을 몰래 먹으면서 지냈어요. 아 숨겨버린 것처럼 들리지만 숨겼다고 해도 형에게 걱정이라도 될까 봐 그런 거니까 용서해줘요. 그래서 결론은… PTSD 비슷한 정신병 때문에 수면제 먹고 잠에 드는 거예요. 안 그러면 도저히 잠이 안 와요."

"아… 많이 심각한 거야?"

"음… 네, 그렇다고 봐야 할 거 같네요. 형의 귀중한 시간을 제가 이렇게 빼앗아도 되는 건지 잘 모르겠네요. 물 떠다 드릴게요. 약 드셔야죠. 약 가지고 계세요. 금방 떠올게요."

그렇게 말한 후 그는 바로 등을 보이며 자리를 떠났다.

"아무리 뒤져봐도 약이 안 나오더라고. 어떡하지?"

유지운이 뒤늦게 와 내게 말했다.

"괜찮아, 우현이가 자기 약 준다고 했어. 이것 봐." 그에게 손에 들린 약을 보여주며 말했다.

"다행이네. 열은 어때? 떨어진 거 같아?"

그가 나의 이마에 손을 댔다. 그의 손이 차가워 시원했다. 그의 손을 잡고 나의 얼굴에 비볐다.

"뭐 하는 거야? 근데 귀엽네. 열은 조금 내린 거 같아서 다행이다. 아까보다 나아졌어."

"응. 형 손 시원하다. 시원해서 기분 좋네."

"그래? 그럼 밤에도 손으로 너의 온몸을 시원하게 해줄 수 있는데, 5층에서 잘까?"

"아니…? 왜 이야기가 거기로 흘러가. 그리고 만약 된다고 쳐도 오늘은 내가 아파서 안 돼."

"난 별말 안 했는데, 어디로 흘러가."

"아니 5층이면 그… 형이 계속 섹… 그거 하자고 하면서 같이 가자고 하는 방이니까…."

"그랬던가?"

"그랬던가… 무슨 소리야."

"얼굴이 더 빨개진 거 같네. 키스하고 싶어."

"안돼, 나 아픈 거 옮아갈지도 몰라. 그리고 우현이가 곧 오잖아."

마침 전우현의 신발 소리가 크게 울렸다. 그가 우리 둘이 바싹 붙어있는 모습을 보더니, 그는 얼굴을 굳혔다.

"호랑이도 제 말 하면 온다더니." 유지운이 말했다.

"형, 물 떠왔어요. 정수기는 왜 이렇게 멀리 있는 건지 모르겠네요. 약 드세요."

그가 작은 종이컵을 내밀었다. 종이컵 안에는 물이 일렁이고 있었다. 받아든 종이컵 안에서 나의 안경이 물속에 비쳤다.

"고마워."

"네. 형, 오늘 점심 같이 먹을래요? 제가 죽 끓여서 여기로 가지고 올까요?"

"죄송한데, 저희 오늘같이 먹기로 했었어요. 오늘 말고 다음을 기약하세요." 유지운이 나의 어깨에 팔을 두르며 말했다.

"…그래요. 알겠어요."

전우현의 얼굴이 썩어갔다. 정말 불쾌해 보이는 얼굴이었다. 살면서 이런 그의 얼굴은 처음 보는 거 같았다. 요즘 따라 그의 밝은 모습을 보는 게 뜸해졌다. 전우현은 얼굴을 썩힌 채 다시 방으로 들어갔다.

44.

시발! 시발!! 형에게 죽을 끓여주려고 했는데! 유지운은 항상 방해만 한다. 그가 있어 좋았던 적이 단 한 번도 없다! 아아아아아 형은 왜 이렇게 그 사람이랑 붙어있는 거야! 나는 병신 같게 수면제나 형에게 들키고! 잘 되는 게 아무것도 없어! 개 같은 인생!

화를 속에서 꾹 참으며 방문을 열었다. 침대에 누워서 열을 식히려고 했는데 서찬원이 나의 침대에 누워서 잠을 자고 있다. 이런 그는 수면제 없이도 잘 수 있겠지? 부럽다. 나도 수면제 없이 잠을 자고 싶은데, 마음대로 되지 않는 게 또 화가 났다.

"어, 뭐야. 언제 잠든 거지. 미안. 좀 피곤하네. 내 방에 가서 잘게." 서찬원이 잠에서 깨어났다.

"야."

"어?" 그가 먹잇감이 된 토끼의 얼굴을 하고 말했다.

"나도 같이 가자."

"그걸 그렇게 비장한 표정으로 말해야 해? 내가 다 무섭네. 무슨 일 있었어?" 그가 다정하게 말했다.

"…형은 나한테 관, 관심 하나도 없는 거 같아. 아아아 난 형을 포기할, 할 수 어, 없는데………. 나 어떡하지?"

몇 주간을 참아왔던 눈물이 멈출 새 없이 흐르기 시작했다. 나의 눈물에 당황한 듯한 그는 자리에서 일어나 나의 흐르는 눈물을 자신의 엄지로 닦아주었다. 그의 손에선 향기로운 냄새가 났다. 그의 손을 그대로 잡고 펑펑 울었다. 나의 울음소리가 문밖으로 새어나갔을지도 모른다. 그래도 형은 아무런 관심이 없는 것 같다.

"어, 어? 울지마. 왜, 왜 무슨 일인데 그래?"

"현규 형은 맨날 유지운 그 미치광이랑만 대화하고 신경 쓴다고."

"아… 현규 씨도 너무했네. 내가 봐도 너는 그 사람한테 엄청

신경 쓰는 게 보이는데, 현규 씨가 조금 무감각한 사람일까? 그게 아니면 너만 상처받고 그러는데…." 서찬원이 울먹거리는 것 같은 얼굴로 내게 말했다.

"아니면 그냥 나한테 오지, 아니야. 아니다." 서찬원이 고개를 휘 저으며 작게 말했다.

"…그냥 현규 형을 포기하는 게 나을까."

"내 생각에는 그러는 게 너한테도 편할 것 같아…."

"응."

그가 말한 모든 말들이 맞는 말인 것 같다. 사실 이미 모두 잘 알고 있는 사실이다. 그런데도 나는 민현규를 도저히 포기할 수 없다.

"서찬원, 너 손에 핸드크림 바른 거야?"

화제를 돌리기 위해 아무 말이나 내던졌다.

"응. 너도 바를래? 이거 냄새 좋지?"

"어. 좋네."

눈물이 쏙 들어가게 하는 라벤더 향이었다. 라벤더 향은 싫어하는 편이었는데, 그의 손에서 나는 라벤더 향은 미칠 만큼이나 향이 좋았다. 코를 박고 맡고 싶은 향이었다. 아무래도 수면제를 과다복용해서 머리가 미쳐버린 것이 분명하다. 그게 아니라면 그에게서 나는 이 향기가 미치도록 달게 느껴질 리가 없을 터다.

"뭐해?" 그가 코를 박고 향을 맡는 내게 말했다.

"향이 달다. 라벤더 향 같지 않아. 달콤한 젤리 냄새네. 너무 달아. 향기를 맡는 것만으로도 이가 썩어버릴 거 같아. 계속 맡게 해

쥐."

"어… 응."

그의 손을 나의 코에 처박고 냄새를 맡았다. 달아서 눈이 돌아가 버릴 거 같았다. 단단히 미친 거 같다.

"손톱에 매니큐어 발랐네? 무슨 의미 있어?"

"아니, 그냥 좋아하는 색이라." 그가 답했다.

"네 머리카락 색이랑 잘 어울리네. 연분홍이라서 너의 이미지랑도 잘 어울려."

"다행이다. 만나는 사람들마다 별로라고 했거든. 우린 운명인가봐?" 그가 음흉하게 웃음을 짓고 말했다.

"응, 전혀 아니야. 나도 핸드크림 바를래. 핸드크림 줘. 근데 나한테서도 너한테서 나는 이 달콤한 향기가 날까?"

"그만큼 단내가 나? 라벤더 향밖에 안 나는데."

"너한테서 나는 향이라서 네가 못 느끼나 봐. 세상 단 내는 다 나는 거 같은데. 한 번 깨물면 달콤한 즙이 나올 거 같아. 깨물어 보면 안 되냐? 즙은 안 나올 거 아는데, 깨물어 보지 않으면 나못 참겠어. 내가 여기서 무슨 짓을 해버릴지 모르겠어."

"뭐, 뭐? 너 진짜 좀 이상해진 거 같아. 근데 네가 깨무는 거라면 나쁘진 않을 거 같다. 어디 한 번 깨물어봐. 향기는 손에서만 날 텐데 왜 몸을 깨물려고 하는 거야?"

"몰라…. 말 걸지 마. 다른 생각은 안 드니까."

그의 목덜미를 깨물었다. 깨물자마자 그는 웃하고 아주 작은 비명을 질렀다. 아무런 향이 나지도 않는 그의 목덜미를 깨물고 나니 만족 됐다. 하얀 편이 아닌 피부에도 나의 빨간 잇자국이 훤히 드러났다.

"아! 피부가 약해서 깨물면 안 되는데! 근데 너니까 상관없을 거 같아." 그가 깨달은 듯이 말했다.

"뭐? 야 피부가 약하면 빨리 말했어야지. 얼음 있나? 지하에 있을 테니까 같이 찾으러 가자."

"나 걱정해주는 거야? 고마워.." 그가 혀 짧은 소리를 내며 말했다.

"씨발 뭐지? 나 방금 너한테 뭐 한 거야? 나 너 깨문 거 이거 현실이야? 꿈 아니지? 내가 남자한테 씨이발 뭘 한 거지? 너 그 상처에 밴드 같은 것 좀 붙이고 다녀." 갑자기 확 든 정신에 뇌가 몽롱했다.

"아쉽다. 근데 얼음 안 가져다줄 거야?"

"가져다줄게. 4층에서 기다리고 있어. 같이 게임 하자."

45.

이곳에서의 두 번째 회의가 열렸다. 이번엔 강세연이 아닌 유지운이 회의를 이끌었다. 여자의 목소리가 아닌 남자의 목소리가 귀에 박히니 조금 어색했다. 강세연의 목소리를 그리 많이 들은 것도 아니었는데.

"저번 순찰은 전우현이랑 현규였지? 이번에 혹시 자발적으로 가고 싶은 사람 있어?"

"그게 아니라 서찬원 저번에 안 가서 가야 할 거 같은데요."
전우현이 손을 들고 말했다.

"야 조용히 해!" 서찬원이 그의 입을 다급히 막곤 말했다.

"그렇네. 찬원이가 안 갔었지? 그럼… 채희랑 찬원이가 갔다
올까?"

"네? 아 네! 좋아요. 전 상관없어요." 반채희가 싱글벙글 웃으
며 말했다.

"형, 나 우현이랑 다녀오면 안 돼?"

"전우현은 저번에 다녀와서 좀 그래. 너랑 채희랑 다녀와. 둘이
이번에 친해지기도 하고. 넌 현아랑만 친해졌잖아."

"…응. 잘 부탁드려요."

"아, 앗 네! 저야말로 잘 부탁드려요! 순찰은 처음이실 테니까
제가 잘 설명해 드릴게요! 내일 지하 입구에서 만나요."

"네." 서찬원은 그다지 관심 없는 표정이었다. "우현아, 우리
이따가 그 게임 다시 하자. 응?" 그가 전우현에게로 달라붙으며
말했다.

"조용히 해. 아직 회의는 끝난 거 아니니깐. 우선 순찰은 내일
당장 하고 오면 되고, 질문 있는 사람 있어?"

"저요!" 주현아가 쾌활한 목소리로 말했다. "오빠 지금 사귀는
사람 있어요?"

"기각, 그런 쓸데없는 질문은 안 받아."

순간 가슴이 철렁했다. 유지운이라면 당장에라도 '나 민현규랑

158

사귀어.'라고 말 할 수 있는 사람이라 가슴이 계속 두근댔다.

"그럼 전우현 선배! 지금 사귀는 사람 있어요?"

"나도 그런 질문은 안 받아. 더는 필요한 질문을 하는 사람은 없을 거 같은데, 회의는 이쯤에서 그만해도 되지 않나요?"

"그렇게 하죠. 이제 더 질문 없는 거 맞지? 이걸로 회의는 끝이야. 찬원이랑 채희는 내일 준비 잘하고."

"응. 우현아, 나랑 옥상 가자."

"안돼." 유지운이 말했다

"어? 왜?"

"나랑 현규랑 갈 거야. 그리고 전우현 씨는 아까 현아가 보자고 하지 않았어요?"

"뭐? 그럼 나 4층에서 기다리고 있을게." 서찬원이 전우현에게 놀란 얼굴로 말했다.

"어, 기다리고 있어. 현규 형. 오늘 저녁 같이 먹어요. 점심은 못 먹었어도 저녁 정도는 되잖아요?"

"미안. 원래 나 저녁 잘 안 먹어."

"그럼 도대체 언제! …알겠어요. 시간 날 때 같이 먹어요. 계속 고집부려서 죄송해요." 전우현의 얼굴이 순간 무척이나 화나 보였다. 얼굴이 시뻘게진 채 그는 화를 억눌렀다. 화를 억누르지 않아도 되는데 말이다.

옥상으로 올라가는 계단, 유지운과 나는 서로의 손과 발걸음 소리에만 의지한 채 어두운 계단을 걸어 나갔다. 유지운은 2칸씩 올라가 둔탁한 소리가 나는 반면, 한 칸씩 올라가는 나는 그를 따라

잡느라 탁탁탁 하며 빠른 발걸음만 들렸다.

"조금 천천히 올라갈까?"

"응. 형 키가 커서 따라잡기가 좀 힘들다."

"그래? 너 그게 키 다 큰 거야?"

"뭐? 형, 진짜 맞을래?"

"네 반응이 귀여워서 계속 놀리고 싶어지네."

"놀리지 마………."

그가 옥상의 문을 열었다. 따스한 햇볕이 비치는 그곳에서 그는 내게 손을 내밀었다. 따뜻해 보이는 손이었지만 얼음을 만지는 듯한 차가움이 손끝에 그대로 전해졌다.

따스한 햇볕이 나와 그의 몸을 둘러쌌고, 풀벌레들은 우리를 반겨주듯 힘차게 울어댔다. 여름의 뜨거움은 이제 사라졌다. 어느덧 가을이 다가오고 있었다. 여름이 좋다고 했던 우현이가 생각났다. 우현아, 이젠 여름을 좋아한다고 했었던 너를 이해할 수 있을지도 모르겠어.

46.

바람과 태양이 경쟁을 시작했다. 나그네의 옷을 벗기는 시합이라도 하듯, 바람이 세게 불면 그 후엔 햇볕이 뜨겁게 우리를 내리쬤다. 여름도 지나갔는데 말이다. 바람이 불 때마다 나뭇잎들이 부딪히는 소리가 귓가에 맴돌았다.

"아- 바람 정말 좋다. 이렇게 바람이 강하게 불고 있는 날이 난 좋아. 머리칼이 흩날리는 건 그다지 좋아하지는 않지만 바람이 나의 몸을 휘감고 지나가는 게 느껴져서 좋아." 그가 난간에 몸을 위태롭게 기대고 말했다.

"심장병약, 내가 구해왔어."

"그걸 어디서 어떻게 구해온 거야? 도대체 어떻게?"

"유지운인데, 구할 수 있지."

"그러니까 어떻게 구해온 거야?"

"근처 병원에 새벽에 다녀왔어. 병원에서 처방해주는 건 그렇게 하고 싶어도 못 하니까 심장병약과 비슷한 성분인 약을 가져왔어. 오전 3시에서 오전 4시, 좀비들이 가장 약한 시간이야. 왜 그러는 건지는 잘 모르겠는데 살의를 띠지 않아. 그래서 다녀왔어. 심장이 아프면 이 약 먹어."

건네받은 약은 캡슐형 알약이었다. 약통에 들어 있는 약은 꽤 많은 거 같았다. 꽤 오래 버틸 수 있을 거 같다. 시한부가 아니길 바라기만 하면 된다.

"죽지 마." 유지운이 눈물이 맺힌 눈으로 말했다.

"안 죽을 거야. 이미 완치도 했었으니까."

"너를 잃기엔 아직 너무 이른 시간 아니야? 평생 나의 곁에 있기로 했으니깐 절대로 죽으면 안 돼." 나를 꼭 껴안은 그는 오늘따라 몸이 따뜻했다.

"죽을 일 없어. 약 먹고 버텨야지. 이런 형을 두고 내가 어디를 가."

"아파. 네가 죽을지도 모른다고 생각하면 심장 한편이 아파서 도저히 참을 수 없어. 죽더라도 내가 너보다 먼저 죽을게. 네가 나보다 먼저 죽는 걸 볼 수는 없어. 내가 먼저 죽게 되면 넌 우현이와 살아남아야 해."

"형, 죽을 일 없어! 그런 불길한 말 하지 말고, 화제 좀 돌리자."

"…응. 얼마 전 오랜만에 본가에 다녀왔어. 그곳에 남은 건 내가 중학생 때 친구랑 같이 찍었던 사진 한 장밖에 없었어. 그 사진뿐이었는데 왜인지 온기가 남아있는 것 같았어. 나도 진짜 이상하지? 부모를 내 손으로 죽여놓고 온기가 남아있다니. 좀비 사태가 지속될수록 머리가 이상해지는 거 같아. 사람의 온기를 그리워하고 원하고 있어."

"…나도 그러고 있어. 언젠가부터 사람이 그리워졌어. 아무래도 이 세상에 나 혼자 남게 된다면 나는 미쳐버릴 게 분명해."

"걱정하지 마. 이 세상에 너 혼자 남게 될 일은 없어."

"응. 그런데 형은 기타 칠 수 있어?"

"응? 아니, 대신 피아노는 칠 수 있어. 어릴 적 콩쿠르에 나가서 우승도 했었는데, 지금은 가물가물하네. 연구에 몰두하다 보니 내게 그런 재능이 있었는지조차 까먹었어. 다음에 피아노 쳐줄게."

47.

밤의 백화점은 고요하다. 원래도 고요하지만 모든 소리가 없어
진다. 특히나 여름도 지나가 에어컨도 꺼져서 정말 아무런 소리가
들리지 않는다.

"현규 선배. 우현 선배 보셨어요?" 주현아다.

"아니, 아까부터 안 보이네. 4층이나 바에 가 봐. 찬원 씨랑 있
을 확률이 높아."

"네! 고마워요."

주현아는 총총거리며 4층으로 올라가는 에스컬레이터에 탔다.
주현아는 반채희와 정반대의 성격인데, 반채희와는 어떻게 친해진
것일까.

"현규 형." 전우현이 뒤에서 나의 이름을 속삭였다.

"어, 너 여기 있었어? 현아가 찾던데. 방금 4층으로 올라갔어.
어서 가 봐."

"전 형한테 볼 일 있어요."

"응, 뭔데?"

"유지운이랑 다니지 마세요. 제가 유지운한테 악감정 있어서 이
러는 게 아니에요. 찬원이한테도 유지운이 어땠는지 다 들었어요.
유지운 같이 쓰레기는 일생에 없을 거라고 했어요. 한 번 싸우면
피를 보게 한다고 했다고요. 그리고 머리도 약간 돌아있대요. 그래
서 사람을 때리는 것에, 고통을 주는 것에 별 감정이 없대요. 그러
니까 형 그런 성격 이상한 사람이랑 다니지 마요. 부탁이에요."

"당사자한테선 그런 말 못 들은 거잖아?"

"네? 아니 형 그건 당연한 거잖아요. 어떤 멍청한 사람이 자신은 평소 사람을 때려도 감정을 못 느껴, 나 머리가 살짝 돌아있어, 어떤 사람이 그러겠어요? 제가 형을 과보호해서가 아니라 걱정돼서 그래요."

"난 그렇게 생각 안 해. 유지운이랑 같이 지내보지도 않은 너의 말을 믿어도 된다고 생각해? 솔직히 그 형이 죽음에 무감각한 건 맞는 거 같지만, 사람을 때리는 거에 무감각한 건지도 모르겠고."

"아아 형! 왜 제 말은 항상 믿지 않으시는 거예요? 저도 한계가 있다고요. 제가 싫으면 싫다고 말해요 그냥! 저 같은 애는 싫다고! 그냥 유지운이 좋아서 미쳐버리겠다고 하세요. 유지운이 너무 좋다고, 사랑에 미쳐버린 거 같다고 하세요, 그냥. 저도 이젠 모르겠어요. 형이 어떻게 되는 뭐가 됐든 제 알 바 아니니깐 이젠 저도 신경 안 쓸게요. 그냥 형 알아서 잘 지내봐요. 제가 얼마나 더 버텨야 이 일에 끝이 있는지도 잘 모르겠고, 이젠 못 참겠어요. 제 말은 전부 미덥지 않으신 거죠? 그렇죠? 사실 제가 그 방에서 같이 자는 것도 싫으시죠? 전부 알아요. 앞으로 말 걸지 마세요. 형이랑 대화하기 싫어요." 그가 분노에 가득 차 눈물까지 쏟아내며 말했다.

"야, 전우현. 갑자기 이야기가 왜 그렇게 되는 거야? 우린 유지운 이야기 중이었잖아. 혼자 왜 그러는 거야?"

"항상 제 말은 형이 들으실 생각을 안 하잖아요. 좋은 정보를 알려드려도 형은 그냥 아, 그렇구나. 이러고 넘기시잖아요. 그것 때문에 속상한 적이 한두 번이 아니에요! 방금도 제가 유지운이랑 다니지 말라고 했을 때 제 말을 믿을 생각을 일절 안 하시고 제가 잘못됐다고 먼저 생각하셨잖아요! 그런데 제가 안 그러겠냐고요. 계속 같은 것만 쌓이고 쌓이는데, 터지지 않을 리가 없잖아요. 갈 게요."

"우현아."

뒤 돌아 이 자리를 벗어나는 그의 이름을 다급하게 불렀다. 그는 잠시 멈춰서더니 이내 뒤돌아봤다.

"말 걸지 말라고요." 차가워 얼어붙을 듯한 눈으로 나를 노려보고 그가 말했다.

"네 할 말만 그렇게 하고 다른 사람 말은 안 들으려고 하면 어떡해."

"아 형, 제발 그만 해요. 이젠 이 감정에 지칠 대로 지쳐서 어떻게 상대해줘야 할지 모르겠으니까."

"우현아, 우현아. 우리 조금만 더 이야기 나눠보자. 내가 잘못했어."

"사과하지 마요! 시발 제가 형한테 사과 듣고 싶어서 이러는 게 아니에요. 그냥 형한테 화 나서 도저히 대화를 나누지 못하겠다는 거예요. 사과하지 마요. 이 감정이 누그러질 때쯤 형한테 제가 직접 사과할게요. 그러니까 시발 사과하지 마요."

그가 내게 욕설을 사용한 것은 처음이라 가슴이 저릿했다. 그에게 큰 상처를 입힌 것인가. 평소 다른 이들의 감정을 알아차리기 어렵다. 그 사람들이 무슨 생각을 가지고 이런 행동을 했는지도 나는 모르겠고, 이해할 수 없었다. 이러한 나의 멍청한 지능 때문에 전우현과 또 다투었다. 스트레스를 많이 받았을 것이다. 다른 이들의 감정을 모르고 눈치도 없고 저능한 나는 스트레스를 받은 줄도 모르고 더욱 자극하기만 했을 것이다.

전우현이 내게 한 말들이 이해된다. 전부 나의 잘못들 뿐이다. 그는 항상 나에게 져주었고 나는 그런 그를 짓밟았다. 짓밟히면서도 그는 환한 미소를 띠고 있었다. 오늘은 달랐다. 당장에라도 나를 사냥 할 수 있을 것 같은 짐승의 얼굴이었다. 한껏 내려간 입꼬리는 당장에 땅에 꽂혀서도 이상하지 않을 것 같았다. 한껏 구겨진 인상은 그의 눈물이 분노의 눈물인 것을 다시 상기시켜주었고, 분노에 가득 차 나를 바라보면서도 덜덜 떨리던 그 오른쪽 눈은 열이 잔뜩 오른 채였다. 전우현은 자신이 사과하겠다고 했다만 안 하면 어떻게 해야 하는지 모르겠다. 전우현과 사이가 틀어지지 않고 싶다.

48.

마음이 좋지 않다. 침대에 누워 한숨 자고 일어나면 나아질 것이다. 침대가 기다리는 방으로 들어갔다. 유지운이 담배를 피우고 있었다.

"어, 미안. 담배 끌게."

"괜찮아. 우현이도 이제 이 방에서 지내지 않을 거고 나는 담배 냄새 참을 수 있으니까 괜찮아."

"뭐야? 왜? 전우현은 왜 여기서 안 지내?"

"싸웠어. 내가 저능, 저능해서 그래. 으으, 나는 상처 주고 싶지 않았는데. 내가 멍청해서, 바, 바보라서 사람의 감정을 이해하지 못해서 그래."

감정을 조절하지 못하고 그 상태로 울어버렸다. 전우현과 싸워서 우는 것인지 내가 지능이 떨어져서 우는지 모르겠다. 유지운은 나를 껴안고서 등을 토닥여주었다.

"넌 멍청하지 않아. 사람들과는 몇 번 싸워보면서 성장하는 거야. 전우현은 얼마 전부터 침울해 보였어. 그거랑 더불어서 그 아이도 터진 것뿐이야. 울지마. 네가 울면 나도 눈물이 나올 거 같단 말이야."

그의 품에선 담배 냄새가 났다. 그리고, 그 향수 냄새도 옅게 났다. 훌쩍이며 그의 가슴에 머리를 비볐다. 그의 입술에 나의 입술을 박았다. 박은 입술이 얼얼했지만 얼음찜질하듯 그의 혀로 달래었다. 그는 나의 볼을 타고 흐르는 눈물도 혀로 닦았다. 얼굴을 혀로 핥아진 건 처음이다. 강아지 같다.

"작은 키인데도 용케 나의 입술에 닿았구나."

"아니 별로 안 작아."

"눈물 쏙 들어갔네. 작은 키의 현규야, 이젠 울지마." 그가 비열한 눈을 하고 말했다.

"놀리지 마! 나 별로 작은 키 아니라니까! 형이 유별나게 큰 거야."

"유별나게는 너무 했다. 그냥 큰 거라고 해주지."

"그래, 무척이나 키가 크신 지운 형, 놀리지 좀 마요. 알겠어요?"

"…웬 존댓말이야?" 그가 얼굴을 붉히며 말했다.

"형 놀리려고. 이상해?"

"아니, 너무 좋아서. 나 이런 거 너무 좋아하나 봐."

"응, 그런 거 같아."

얼굴이 벌게진 채 입을 틀어막은 그는 무척이나 행복해 보였다. 처음 만났을 때 지운이 형이라고 하라고 했던 것도 연하를 좋아해서 그런 것이었을까?

"형, 연하 좋아해?"

"그런가 보다…. 애초에 널 만난 것도 연하를 좋아해서 그런 것 같아. 미칠 거 같아. 왜 이러지? 심장이 난동 부려. 네가 존댓말 쓰면."

"아ー 그래? 좋아요? 형, 이런 거 좋아하는 거 진짜 변태 같아요. 제가 이러는 게 좋은 거예요, 아니면 그냥 이러는 연하가 좋은 거예요? 헷갈리게 하지 말고 확실히 말 해줘요. 응?" 그를 놀리기 위해 그를 아래에서 올려다보며 애교 섞인 말투로 말했다.

"…그런 눈으로 쳐다보지 마…. 진짜 나 미쳐버릴 거 같아. 네가 너무 좋아. 어떡하지? 네가 나만의 것이라서 좋아. 아… 좋다." 사랑에 빠진 눈으로 나를 쳐다보는 그가 오싹하리만치 좋았다.

49.

"아, 아파요! 선배 하지 마세요!"

가녀린 주현아의 손목을 다급하게 잡아끌었다.

"야, 네가 나한테 아비 없는 새끼라고 했다며? 간이 땡땡 부었
네? 너 뒤지고 싶냐 진짜?" 분노에 가득 찬 목소리로 그에게 외
쳤다.

"제가 왜 선배한테 그런 욕을 해요! 누구한테 들으신 건데요!"

"서찬원이 그랬어. 시발 네가 나한테 그랬다고."

"아니, 제가 안 그랬어요! 지금 선배랑 잘 되고 싶어서 얼마나
노력하고 있는데요! 선배가 저를 좋아하지 않으셔서 슬프긴 하지만
그렇다고 해서 제가 선배를 욕할 이유가 없잖아요!" 억울한 얼굴
로 말했다.

"그럼 지금 서찬원이 나한테 거짓말했다는 거야?"

"그건 아니지만 일단 전 그렇게 말한 적 없어요! 서찬원 오빠
가 거짓말을 한 건지, 선배가 잘못 들으신 건지는 모르겠는데 일단
저는 그런 적 없어요! 다른 날엔 절 믿지 않으셔도 상관은 없지만,
이번만큼은 믿어주세요! 정말로 선배에게 그런 말 한 적 없어요!"

"여기서 닥치고 기다리고 있어."

쿵쿵거리며 서찬원에게로 향했다. 개 같다. 누구의 말을 믿어야
할지 도저히 모르겠다. 서찬원이 거짓말을 할 애가 아닌데. 뭐가
뭔지 요즘엔 도통 모르겠다. 아무래도 약을 너무 많이 먹은 거 같
다.

"서찬원! 너 나한테 거짓말했냐? 주현아가 나한테 아비 없는 새끼라고 했다며!"

"뭐? 아니 내가 언제? 현아가 그런 말을 할 앤가?" 그가 영문을 모르겠다는 표정을 한 채 벌뚱멀뚱 나를 쳐다봤다.

"네가 아까…."

그가 내게 말했던 기억이 없어졌다. 주현아에게 소리를 내질렀던 때만 해도 기억이 있었던 거 같은데 그가 내게 말 했던 건지 아닌지도 기억나지 않는다. 그가 내게 말한 것이 아닌가? 정말 약을 과다복용 해서 좀 미쳐버린 건가? 아니, 아니 서찬원은 내게 말했다. 말을 했고말고.

"난 너한테 그런 말 한 적 없어. 괜찮아? 요즘 좀 오락가락 해보여. 어제 자기 전에 약을 너무 많이 먹은 거 아니야?"

"그럴 리 없어!" 혼자 부정했다.

"그럼 유지운 형이 말한 거 아닐까? 현규 씨나."

"난 유지운 그 사람이랑 대화 안 해. 현규 형이랑도 싸웠단 말이야."

"왜? 좋아한다며."

"그냥 그 형 때문에 지쳤던 게 확 나왔어. 진짜 병신 같았어, 내가. 아아 인생 될 대로 되라지. 주현아도 계속 기다리진 않을 테니까 한숨 잘래."

"주현아는 또 무슨 소리야?"

"네가 나한테 주현아가 나보고 아비 없는 새끼라 했다고 말했

170

던 기억 때문에 주현아한테 뭐라고 했거든. 근데 걔가 자기는 죽어도 아니라길래 기다리라고 하고 너한테 왔는데 오자마자 그 있던 기억이 사라졌어. 그래서 무안하기도 하고 그냥 잘래.”

“현아한테는 네가 오해했었다고 내가 말하고 올게. 너는 여기서 자. 내일도 하루가 있으니까.”

약을 먹어야겠다. 약이 없으니 도저히 눈을 감을 자신이 없다. 약을 많이 먹으면 안 되는데, 의사도 권고한 만큼만 먹으라고 강조했었다. 하지만 권고한 만큼만 먹으면 나는 잠들 수 없다. 내성이 생긴 것인가. 아 이런 인생에 살 바엔 죽어버리는 게 나을 것이다. 현규 형을 어떻게 해야 할지 모르겠다.

50.

눈이 부신 11시가 되어있었다. 해는 중천이라 몸이 뻐근했다. 이리도 오래 잔 건 오랜만이다. 어젯밤 무리해서 유지운이랑 사랑을 나눈 거 같다. 좀 줄여야 할 거 같다.

“현규야- 일어났어?” 유지운이 침대에 올라오며 말했다.

“응, 어젯밤에 늦게 자서 그런가 늦게 일어났네.”

“응. 어젯밤에 좋았지? 그렇지?”

“정말.” 엄지손가락을 치켜들며 말했다:

“아! 민현규 너무 귀여워! 먼저 내가 찜해서 다행이야. 네가 내 거라서 행복해.” 그가 나를 꼭 껴안고는 말했다.

“찬원 씨랑 채희는 갔어?”

"뭘? 순찰? 한참 전에 다녀왔어. 폐쇄병동에 다녀왔었는데 그곳엔 아무것도 없었대. 요즘 순찰은 전부 대차게 말아먹고 있어. 인력 낭비, 시간 낭비야. 다음 순찰은 성공하면 좋겠어."

"형이랑 나랑 다녀오자."

"그럴까? 좋네. 현규랑 다니면 무서운 것도 없겠어."

"형은 혼자서 다녀도 무서울 거 없을 거 같은데…."

"아냐, 나도 무서운 거 있어."

"뭔데?"

"살해당한 나의 부모가 노려보는 시선. 가끔 꿈에 나오는데 그게 그렇게 무섭더라고. 이런 말을 네게 하긴 그렇긴 하지만 그 사람들은 나를 죽일 듯이 때렸어. 자기 멋대로 안 되면 폭력을 썼었어. 그런데 그런 부모를 죽이는 게 뭐가 잘못된 걸까? 게다가 그 사람들은 좀비 바이러스에 감염됐었어. 그 사람들이 내 꿈에 나와서 나를 노려볼 게 아니라 내가 그 사람들 꿈에 찾아가서 노려봤어야 했어. 아쉽다, 먼저 죽어버려서." 정말로 아쉬워하듯 그가 말했다.

그의 말을 도저히 들을 용기가 나지 않았다. 유지운은 그다지 좋지 않은 환경에서 자란 것 같다. 유지운과 다니지 말라는 말들은 전부 유지운에 대해 아무것도 몰라서 그런 것이다. 그도 부모를 잘못 만나 이렇게 된 것이다. 아아 어떻게 부모가 그 어린아이를 때릴 수가 있는 거지? 어떻게! 그런 미친 사람들은 세상에 존재해서는 안 된다. 다행히, 세상을 떠났지만.

"재밌는 거 하나 말해줄까? 그 부모에게 맞았던 흔적이 아직 나의 온몸에 남아있어. 봐, 손목."

그가 옷을 걷어 올려 보여준 곳은 보기 힘들 정도로 손목이 푹 패여 있었다. 마치 자해 흔적 같아 보이기도 했다.

"여기도 볼래?"

그가 옷을 들어 올려 자신의 갈비뼈를 보여줬다. 그의 갈비뼈는 이상했다. 마른 몸이 아닌데도 왼쪽 갈비뼈가 몸 밖으로 훤히 드러나 보였다. 그 갈비뼈 밑으로 울긋불긋 피멍이 들어있었다. 멍은 2주 정도면 빠지는데, 이 정도로 빠지지 않는 거라면 그는 얼마나 맞은 거지? 그의 갈비뼈를 만져보니 울퉁불퉁했다. 일반인의 갈비뼈가 아니었다.

"형, 갈비뼈가."

"좀 이상하지? 유지원이 발로 차서 그래. 나의 형이야. 나는 우리 집안 막내아들로 태어나서 맞고만 자랐어. 형의 난임 때문에 모든 패는 내게로 향하게 되었거든. 그래서 형은 아마 재산을 받지 못할 거란 불안함이 있었나 봐? 내가 16살이 되던 해 여름, 6월 5일 형이 나를 방에 가둔 채 발로 나의 흉부를 걷어찼어. 나와는 훨씬 나이 차가 나던 형을 이겨낼 수가 없었고 그냥 맞았어. 갈비뼈가 으스러지는 고통에 병원에 갔는데 갈비뼈 골절이라고 했어. 근데… 그렇게 돈이 많은 우리 부모는 간단한 치료만 하고 수술을 시켜주지 않았어. 그래서 멋대로 자라난 뼈들이 엉겨 붙어서 이렇게 된 거야."

그는 어떤 인생을 살아온 것인지 도저히 머릿속으로 상상이 가지 않는다. 어떻게 그 집안에서 버텨온 것인지도. 죽지 않고 살아

있는 것이 신기한 몸이었다. 숨이 제대로 붙어있는 게 맞는지 그의 가슴 위에 손을 얹어 그의 심장이 뛰는 것을 확인했다. 다행히 심장은 멀쩡히 뛰고 있었다.

유지운이 그런 나의 모습을 보고 싱긋 웃고는 말을 이었다.

"웃긴 건 그 형, 좀비 사태가 일어나기 전에 음주운전 하다가 한 할머니를 들이박고 뺑소니를 친 뒤에 투신자살했어. 아 꼴 좋아. 잘 나가던 —기업 회장 첫째 아들이 뺑소니를 친 후 투신자살이라니! 웃겨."

간신히 웃음을 참으며 그가 말했다. 그가 안타깝지만 이런 걸 웃으며 말하는 그의 모습은 조금 무서웠다.

"됐어, 너는 이 이야기 안 좋아하겠지. 솔직히 나도 그날 이후로 제정신이 아니긴 해. 모든 기대가 나한테로 되 꽂혔으니까. 그래도 나를 피하진 말아줘."

내 품에 껴안긴 그는 어린아이같이 행복한 얼굴이었다. 그래, 나 아니면 이런 그를 누가 사랑해주겠나. 평생 함께 가는 거야.

51.

더워도 반소매 옷을 잘 안 입었다. 심장병 때문에 병원에 입원을 자주 하느라 주사 자국이 많기 때문이었다. 그래서 항상 팔목은 가리는 옷을 입어왔는데 유지운이 나의 팔목을 봐버렸다. 키스 중에 서로 흥분하여 옷을 벗느니 마느니 하다가 들키게 되었다. 유지운은 심각한 표정으로 나의 팔을 바라봤다. 후끈했던 열기는 금세 차갑게 식어버렸다.

"이게 뭐야?"

"주사 자국이야." 그의 눈을 피하며 말했다.

"심장병 때문이야? 이 정도로 심했어? 몇 대를 맞은 거야?"

"그건… 모르지만, 고통을 줄이게 하려면 주사를 맞는 수밖에 없었어. 주사 자국이 보기 싫지? 그래서 가리고 다녔는데….'

"보기 싫지 않아. 네가 심장병을 이겨낸 증거잖아. 심장병 있다는 거 왜 말 안 했어. 버텨낼 수 있는 거야? 주사 맞지 않아도 괜찮아?"

"응, 괜찮아. 고통은 있기야 하지만 약 먹으면서 버틸 수 있어. 호흡곤란 오는 것도 약 먹으면서 버텨내면 되는 거고. 그러니까 걱정할 필요 없어."

"너무 걱정되는데. 심각하게 아파?"

"아니, 정말 괜찮아. 걱정하지 마. 오히려 내가 형이 걱정돼. 맞고 살았다며."

"그건 이제 끝났으니까 난 상관없어. 손목이 아직 덜그럭거리긴 하지만 이것쯤이야."

그가 내민 손목에는 푹 파인 상처가 있었다. 마치 자해 흉터 같았다. 상처가 왜 이렇게 심각한 거지? 얼마나 맞아댄 거야?

"난 정말 네가 걱정돼."

"난 괜찮아. 나는 약이 있잖아. 그런데 형은 상처가 너무 심각하잖아."

"아무것도 아니야 이젠. 전부 부모도 형도 죽었는걸. 너야말로,

아직 진행형이잖아.”

“괜찮아. 괜찮으니까 …여기서 이러지 말고 밥이나 먹으러 가자. 소란스러워진 거 같아.”

“밥… 그래. 넌 밥 좀 잘 먹어야 해. 내가 맛있는 거 해줄게.”

“스테이크밖에 못 하잖아.”

“스테이크라도 맛있는 게 어디야? 그것도 못 만들면 나는 아무 것도 못 하는 사람이 되어버리는데.”

“그렇긴 하네.”

“가자.”

“현규 형.”

오랜만에 듣는 그의 목소리였다. 왜 하필 이럴 때 그를 만난 거지? 신나게 키스를 나눈 후에. 하필.

“형, 잠시 시간 돼요?”

“아, 어, 응. 돼.” 유지운의 눈치를 살피고 말했다.

“잠시 와 주세요.”

“응.”

52.

그의 어두운 뒷모습을 따라 걸었다. 걷다 보니 어느새 옥상에 와있었다. 전우현의 노란 탈색 머리를 오랜만에 가까이서 보는 거 같다.

“저번엔 죄송했어요. 무턱대고 화내고. 정말 잘못했어요.” 무릎을 꿇고 그가 내게 말했다.

"우현, 우현아! 일어나! 왜 이러는 거야? 이렇게까지 할 필요 없어!"

"아뇨, 정말 죄송해요. 용서해 주세요. 물론 제가 용서받지 못할 만큼의 발언을 내뱉은 건 알고 있어요. 근데도 이 멍청한 제 몸은 형을 원하고 있어요. 죄송해요. 너무나도 죄송해요."

"아, 아니야 괜찮아. 우현아 일어나."

"형이 용서해 주실 때 일어날게요." 그는 의지를 굳혔다.

"용서할 테니까, 일어나. 우현아. 이러지 마."

그가 무릎을 털곤 자리에서 일어났다. 그리곤 한숨을 푹- 내쉬었다.

"죄송해요. 이런 일 다신 일어나지 않게 할게요. 형한테 욕한 것도 죄송해요."

"괜찮아. 내가 저능해서, 공감 능력이 떨어져서 인지를 잘 못해서 그런 거야. 네 잘못은 없어."

"무, 무슨. 형 무슨 소리예요? 지금!"

그가 나의 손목을 거칠게 잡아 올렸다.

"아! 우현아! 아파!"

"형, 지금 무슨 소리 하신 거예요!"

"손은 놓고 얘기해. 아파."

그가 놓친 나의 오른손 손목은 어찌나 세게 잡은 것인지 새하얗게 자국이 남아있었다.

"죄송해요. 순간 너무 열 받아서… 죄송해요. …형 몸에 상처

하나 내지 않으려고 했는데 죄송해요."

그렇게 말하고 그는 옥상에서 뛰쳐 나가버렸다. 혼자 남겨진 나는 초가을의 바람을 쓸쓸히 맞았다. 전우현은 요즘에 꽤 이상한 거 같다. 바람을 몸이 시리도록 맞은 나는 기침이 나오는 걸 꾸역꾸역 참고 심장을 붙잡았다. 미세한 고통이 스멀스멀 올라왔다. 여기서 이러면 안 된다. 이곳엔 아무도 없다.

53.

심장이 아파 몸을 가눌 수가 없었다. 어쩔 수 없이 5층에서 쉬어야 할 거 같다. 몸을 벽에 기대어 계단을 하나하나 내려왔다. 숨이 가빠졌다. 누군가 심장을 있는 힘껏 쥐어짜는 느낌이었다. 멈춰달라고 소리치고 싶었다. 숨을 이렇게라도 쉴 수 있을 때 어서 내려가야만 한다.

"현규 선배?"

여성의 목소리가 들렸지만 주현아인지 반채희인지 구별이 되지 않았다. 누구지? 누구야? 채희인가? 아니 현아인가? 누구지?

"현규 선배? 괜찮아요? 왜 그래요?"

채희였다. 채희야. 반채희가 나의 몸을 받쳤다. 눈앞이 흐렸다. 쓰러질 거 같은 정신을 꼭 붙잡느라 몸을 가눌 수가 없었다.

"괜찮으세요?"

대답을 도저히 할 수 없었다. 심장이 아파서 고통스러워서. 힘들게 버티고 있는 발끝으로 서서히 계단을 내려갔다. 5층에 도착

178

하자마자 나는 그대로 바닥으로 쓰러졌다. 정신을 잃은 것은 아니었다. 차가운 대리석 바닥에 뜨거워진 얼굴을 녹였다. 조금이라도 나아진 거 같다. 약을 먹을 시간이 지난 거 같다.

"선배? 왜 그러세요? 괜찮아요? 어디 아파요?"

"심장병이 있어. 약 먹을……… 시간을 놓쳤……… 나 봐. 지운이, 형을 불러줘………. 나는 여기서 정신을 잡을게. 걱정하지 말고 가 봐."

반채희는 여전히 걱정스러운 얼굴을 한 채 다시 계단을 내려갔다. 혼자 남겨진 나는 기어서 라운지까지 갔다. 무릎과 옷이 쓸려서 대리석인 바닥인데도 아팠다. 라운지에 도착해서는 소파에 몸을 기댔다. 힘들게 내쉰 숨들이 이제야 조금 나아진 듯했다.

"현규야!"

얼마나 지난 걸까, 정신을 차리고 보니 유지운이 나의 몸을 흔들고 있었다. 공황이라도 온 듯한 얼굴이었다. 주위엔 우현이, 채희가 나를 걱정스러운 얼굴로 바라보고 있었다. 우현이는 나보다 상태가 안 좋아 보이는 얼굴이었다. 얼굴이 새파랗다 못해 새하얘진 채 덜덜 떨리는 손으로 머리를 부여잡고 있었다.

"다행이다." 유지운이 나를 꼭 껴안고 말했다.

"왜 그래? 난 괜찮은데. 무슨 일 있었어?"

"형이 계속 깨어나지 않으셨다고요! 3시간이나 눈을 감은 채로 계셨다고요. 근데 맥박은 점점 내려가서 얼마나, 얼마나 걱정했는지 몰라요."

전우현은 툭 건들면 눈물이 폭포수처럼 쏟아질 거 같은 눈을 하고 말했다.

"괜찮아지신 거 맞죠? 그럼 저는 이만 가볼게요." 반채희가 뒤를 돌아 자리를 떴다. 반채희는 나를 경멸하는 것 같았는데, 반채희가 나를 걱정해주고 있을 줄 몰랐다.

전우현은 불안해 보였다. 유지운도 나를 꽉 껴안은 채 놓질 않았다. 꽤 오랫동안 그렇게 잠들어있었던 거 같다.

"우현아. 걱정 안 해도 돼. 나 심장병 때문에 그랬던 거 같아. 그리고 이 옅은 생명도 언젠가는 끊어져 버릴 테고. 많이 심각하다고 생각 안 했었는데, 많이 심각했나 봐. 이렇게 곧 죽어버릴 거야. 지금은 괜찮으니까 걱정하지 마."

"형이 말을 그렇게 하시는데 어떻게 걱정이 안 되겠냐고요!" 전우현의 눈물이 방울방울 흘러나왔다.

울리려는 게 아니라 기분을 풀어주려고 한 말이었는데 심각하다는 말은 괜히 꺼낸 거 같다.

"형이 죽어버리면 저는 어떡해요………."

"현규는 죽지 않을 거예요." 유지운이 말했다.

"심장병이 있다잖아요! 전에도 그래서 시한부였다고 했잖아요! 그런데 어떻게 죽지 않을 수가 있어요?"

"네, 그거에요. 시한부였잖아요. 그럼 현규는 그 죽음의 문턱에서 벗어난 거잖아요. 이번에도 그렇게 만들면 돼요."

"불가능해요. 그건 의료시설이 뛰어났을 때의 이야기잖아요. 지금은 아니에요. 형은 언젠가 저희의 곁을 떠나고 말 거에요."

"가능성을 열어두는 거죠. 그리고, 당신도 현규가 죽는 건 원치 않잖아요? 긍정적으로 생각하자는 거죠."

"이제 그건 그만 얘기하자. 사람들은 어찌 됐건 정해진 명이 있는 법이잖아. 내가 오래 살지 빨리 죽을지는 알 수 없어. 그러니까 그런 불안한 얘기는 그만해. 나는 배고파서 지하에 가볼게. 지금 몇 시야?"

"…오후 9시 1분 8초." 유지운이 말했다.

자리에서 일어나기 위해 다리에 힘을 줬다. 다리에 도저히 힘이 들어가지 않았다. 일어날 수가 없었다.

"왜 그래? 다리에 힘이 안 들어가? 맥박이 너무 떨어져서 그런가? 내가 손잡아줄게. 일어나." 유지운 그가 나에게 손을 내밀었다.

"응, 고마워."

"형, 제가 형 받쳐드릴게요. 혼자 걷기 어려우시지 않으시겠어요?"

"일단 일어나보고 봐볼게."

유지운의 도움을 받아 일어날 수 있었다. 다행히도 한 번 일어나니 다리에 힘이 생겼다. 우현이의 팔을 빌릴 일은 없어졌다. 다행이다. 우현이의 힘이 필요하지 않아서 다행이다.

"혼자 걸을 수 있겠어. 편하게 가도 돼, 우현아."

"…알겠어요. 괜찮다니 다행이네요. 저 가볼게요." 그는 그렇게 5층에서 모습을 보이지 않았다.

54.

"현규 씨!"

"네?"

서찬원이었다. 은은하게 전우현의 향기가 나서 전우현인 줄 알았는데, 전우현의 목소리가 아니어서 깜짝 놀랐다.

"어제 쓰러지셨다며요! 괜찮으세요?"

"아, 네. 괜찮아요. 약 먹을 시간을 놓친 것뿐이에요."

"무슨 약이요?" 서찬원은 놀란 기색을 감추지 못했다.

"심장병약이에요. 후천적인 심장병이 있어서 어릴 때부터 약 먹었어야 했거든요. 근데 지금은 조금 괜찮아졌어요. 걱정 안 하셔도 돼요."

"아…… 맞다, 저번에 말씀하셨었죠….."

"네."

그는 한동안 아무 말 없었다.

"맞다 현규 씨, 아이스크림 좋아하세요?"

"굳이 사 먹지는 않아요. 부모님도 잘 사주시지 않으셨고요. 먹은 적은 별로 없어요."

"아 그래요? 제가 아이스크림 잔뜩 찾았는데 같이 가보실래요?" 그가 살포시 웃음을 지으며 말했다.

"네, 좋아요."

그가 산뜻한 발걸음으로 나를 그곳으로 안내했다. 그곳은 VVIP실이었는데, 그곳마저 카드로 입장하는 곳이었다. 백화점은 좀 이상한 거 같다.

서찬원이 주머니에서 카드키를 꺼내 그곳의 입구에 카드키를 찍었다. 열린 그곳은 5층에 있던 라운지보다 좋아 보이는 라운지가 있었다. 서찬원은 그 라운지 안으로 깊이 들어갔다.

"여기에요! 여기에 고급 아이스크림이 많이 있더라고요. 제가 좋아하는 맛도요!"

서찬원이 웃으며 작은 냉장고를 가리켰다.

"전 먹어본 적이 없어서 모르겠네요."

"음 그래요? 그럼 딸기 맛으로 드셔보는 거 어때요? 제가 제일 좋아하는 맛이에요."

"아⋯⋯⋯ 네 먹어볼게요."

그와 같이 꺼내든 딸기 아이스크림의 맛은 다른 아이스크림과 별 차이가 없었다. 그저 평범한 딸기의 맛이 날 뿐이었다. 고급스러운 맛이 나지 않아서 조금은 실망했던 거 같다. 나의 돈을 내고 먹었다면 뭔가 달라졌을까.

"어때요?"

"평범하네요."

"그래요? 현규 씨, 그⋯⋯⋯ 현규형이라고 해도 돼요?" 그가 머뭇거리다 입을 열었다.

"네. 되죠. 저는 찬원이라고 불러도 돼요?"

"네! 돼요. 편하게 말 놓으셔도 돼요. 현규 형이 저보다 나이 많으시잖아요." 그가 입꼬리를 올리며 말했다.

"아, 네. 그래요."

"우현이가 아이스크림 좋아하는 거 알고 계세요?"

"아니."

좋아한다고 간접적으로만 들은 적이 있는 거 같다. 음, 그래, 우현이는 아이스크림을 좋아한다고 했다. 어째서 방금에서야 떠올랐는지 모르겠다.

"현규 형, 저 먼저 가볼게요. 여기 더 계실 거예요?"

"아니. 지운이 형한테 가보려고. 그리고, 너도 말 놔도 돼. 나 혼자만 놓는 건 불편해."

"응. 근데 우현이는 형한테 존댓말 쓰던데 왜 우현이한테는 말 놓으라고 안 하는 거야?"

"………그러게. 우현이한테는 내가 바라는 게 많나 봐."

55.

심장병약이 사라져버렸다. 나는 공황이 와 숨조차 제대로 쉬어지지 않은 상태에서 심장병약을 찾아 방을 휘젓고 다녔다. 고통스러웠다.

"현규야, 왜 그래?" 유지운이 방에 들어왔다.

"심장병약이, 없어졌어."

왼쪽 가슴을 부여잡고 나는 바닥에 주저앉을 수밖에 없었다. 숨을 쉴 수 없었다. 손은 파랗게 변색 된 채였다. 심장이 후끈거리며 아팠다.

"현규야, 심호흡하고 있어. 약을 찾아올게." 그의 눈동자는 떨리

듯 보였지만 행동은 그렇지않아, 어느 것을 믿어야 할지 모르겠다.

아프다. 아프다. 다른 생각은 들지 않을 정도로 아팠다. 눈을 깜빡일 수도, 자세를 바꿀 수도 없는 고통이었다. 아, 아아아 아프다. 너무나도 아파서 몸이 움츠러들었다. 나의 몸은 바닥에 그대로 엎어졌다. 숨이 쉬어지지 않아. 폐가 활동하지 않아.

"혀, 현규 형!"

누굴까? 누구지? 누구야. 다급한 목소리의 주인은 누구일까. 눈앞이 흐려졌다. 정말 앞이 아무것도 보이지 않는다.

"현규 형, 정신 차려요. 괜찮아요? 현규 형, 형 죽으면 안 돼요! 형!"

우현이였다. 죽음이라니, 괜한 걱정이다. 걱정하지 않아도 된다.

현재로서의 상황에선 의식을 잃을 것만 같다. 숨이 쉬어지지 않아 뇌가 몽롱해졌다.

다시 눈을 뜬 건 몇 시 즈음일까, 창문이 없으니 시간 짐작을 할 수 없었다. 우현이가 엉엉 울고 있었다. 왜 울고 있는 거야. 얼마나 쓰러져 있던 거지?

"우현아, 왜 울어."

나의 목소리를 듣고 울음을 멈출 줄 알았던 전우현은 오히려 더 눈물을 흘러내렸다. 그의 눈물이 나의 얼굴에 후두두 떨어졌다. 얼마나 울어댄 건지 빨갛게 충혈된 눈과 시뻘게진 얼굴이 안쓰러워 보였다.

"우현아 울지마. 왜 울어."

"형이 죽는 줄 알았어요. 정말 죽는 줄 알았어요. 형……… 아프면 안 돼요. 형, 죽으면 안 돼요. 제발 부탁이에요."

"너를 두고 내가 어떻게 죽어."

"제 세상엔 형, 뿐이에요. 형이 죽는다면 저도 죽어버릴 거에요. 형 죽으면 안 돼요. 아프지 마세요."

"응, 당연하지. 죽지 않을 거야."

몸을 일으켜 세웠다. 심장이 뜯겨나가는 듯한 고통에 숨이 컥, 막혔다. 폐가 부풀어 오를 때마다 폐가 무리하고 있다는 건 확실히 알 수 있는 고통이었다.

"아, 파. 우현아, 너무 아파." 간신히 벽에 몸을 기댄 채 그에게 말했다.

"많이 아파요? 아아 어떡해…. 어떡해. 약, 약 어디 있어요? 유지운 그 새끼는 왜 안 오는 거야!"

"우현아, 우현아. 나 좀 안아줘."

그는 아무 말 없이 나를 안았다. 그의 심장 박동에 나의 심장 박동을 맞추려 노력했다. 심장이 너무 빨리 뛰어서 아팠다.

"형 괜찮아요?"

"응…. 고마워. 많이는 아니지만 나아졌어. 걱정 안 해도 돼. 약만 있으면 다 해결될 거야."

"약…. 유지운은 언제 오는 거야!" 그가 초조한 듯 자리에서 일어났다.

"우현아 가지 마."

"네, 안 가요. 걱정하지 마요. 언제나 형의 곁에 있을게요. 목숨이 끊어지는 그 순간에도 형 옆에 있을게요."

"………응."

그의 볼이 눈물로 축축하게 젖어있었다.

56.

"현규야, 이제 괜찮아진 거야?" 유지운이 활기를 되찾은 듯한 얼굴을 하고 말했다.

"아… 응 괜찮아. 형 어디 있었어?"

"약 찾으러 갔었어. 도무지 방을 뒤져도 나오지 않길래 현아랑 같이 백화점을 이 잡듯이 뒤졌어. 결국엔 쓰레기통에서 찾았어. 아마, 누가 잘못 버린 거 같아. 아, 그리고 현규야. 나 내일 본가에 좀 다녀오려고. 좀 오래 걸릴 거야. 6시간 정도 있다 올게."

"그렇게 오랫동안 있게?"

"응. 옷 좀 가지러 가는 김에 좀 쉬려고. 걸어서 1시간 거리라 좀 멀어. 늦지 않게 돌아오긴 할 거야."

"응, 알겠어. 조심히 다녀와."

"고마워. 지금 약 먹을래?"

"몇 시인데?"

"12시 40분."

"그럼 점심 먹고 먹을게. 약 찾아줘서 고마워."

"응. 아프면 안 돼."

그가 아무 말 없이 나를 껴안았다. 붉게 달아오른 그의 귀가 보였다. 그의 귓불을 앙- 하고 살짝 깨물었다. 유지운은 흠칫하며 놀랐다. 약하게 깨물었음에도 귓불엔 나의 잇자국이 남았다.

"뭐야, 너 이런 건 누구한테 배웠어?" 유지운이 능청스럽게 미소 짓고 말했다.

"형한테."

"아~ 민현규 너무 좋아! 너무 사랑해." 그가 나의 양 볼을 잡고 쪽하고 짧게 입술에 입을 맞췄다.

"여기서 이러지 말고 사람 없는 곳으로 가서….."

"오랜만에 키스하는 거라 너무 좋을 거 같아." 유지운이 입꼬리가 올라간 채 말했다.

"지금 하자는 건 아니었는데."

"왜, 지금 하면 좋잖아."

"근데 형이랑 키스하면 심장이 너무 빨리 뛰어서 걱정돼. 심장이 빨리 뛰다가 또 정신을 잃을까 봐."

"그래? 그럼 그냥 입맞춤이라도 할래?"

"응. 그건 괜찮겠지."

그와 근처에 보이는 아무 화장실에 들어갔다. 제일 마지막 칸으로 들어가 함께 입을 맞췄다. 아… 안 돼. 이 정도만으로도 심장이 빨리 뛰다니, 내가 형을 덜 사랑 했으면 심장이 이렇게 빨리 뛰진 않았을 텐데.

"형, 안 될 거 같아."

"어, 이것도 심장이 많이 뛰어? 뽀뽀만 하는데도?"

"응. 형을 너무 사랑하나 봐."

"아 민현규 너무 좋아. 너무너무 사랑해." 그가 아까와 같이 나의 양 볼을 잡고 짧게 쪽- 입을 맞췄다.

57.

서찬원! 미친 정신병자 새끼! 어떻게 이런 미친 짓을!! 기분 나빠!

어찌 된 영문인지 정신을 차려보니 방에서 서찬원과 진한 키스를 나누고 있었다. 왜 왜 일이 이렇게 꼬여버린 거지? 내 마지막 기억은 혼자 바에서 포도주를 마신 게 끝인데. 왜, 왜!!! 왜 하필 서찬원이랑!!!!

"야, 야! 그만해!" 내가 그를 떼어내며 말했다.

"왜, 술 깼어?" 그가 붉은 얼굴로 말했다. 술에 취한 건 아닌 거 같았다.

"와 하 아니 시발! 내가 너랑 지금 뭐 한 거야. 키스? 키스!!? 시바아알!!!!!!!! 너는 맨정신으로 지금 나랑 뭐한 거야!! 개 미친 시발 정신병자 새끼!!!"

"나도 맨정신, 아닌데…." 그가 울먹거리며 말했다.

"돌겠다, 와. 넌 또 언제 술 마신 거냐?"

"너 마실 때 옆에서…. 기억 안 나?"

"좆도 안 나. 와… 시발 내 첫 키스."

"뭐야, 너 처음이었어? 아 저번에 그렇다고 했지?" 서찬원이 비열한 얼굴로 내게 말했다.

　"너 술 안 취했지? 이 개새끼가." 그의 멱살을 잡고 말했다.

　"너한테 맞을까 봐, 하얀 거짓말을………."

　"이건 하얀 게 아니잖아! 근데 너 거짓말 잘한다. 너 연기도 했었냐? 모델 아냐?"

　"모델도 맞는데 배우도 겸했어."

　"대박이네."

　"우리 한 번 더 할래?" 그가 입꼬리가 귀에 걸릴 듯 웃고 말했다.

　"좆 까."

　"엥, 하자고? 네가 깔려 그럼."

　"무슨, 하… 새끼야. 머리에 든 게 그런 것밖에 없냐?"

　"응. 골라. 키스하든지, 섹스하든지."

　"아니 내가 왜,"

　"조용히 하고 골라. 너의 순정은 어쨌든 내게 있으니깐." 그가 훗, 하고 웃으며 말했다.

　"시발! 그게 뭔 상관인데."

　"그냥 골라봐."

　"싫어. 그리고 섹스를 해도 내가 위지, 내가 왜 깔려? 깔리게 생긴 건 너야."

　"와. 너한테 그런 말 들으니까 흥분되는 것 같아."

　"기분 나빠!"

　"내가 깔릴 테니까 할래?" 그가 자신의 셔츠의 단추를 풀며 말했다.

"꺼져, 너랑은 죽어도 안 해."

"근데 키스는 그렇게 하고?"

"제정신이 아니었으니까! 이젠 술 안 마셔. 현규 형 말 듣고 나중에 같이 마실 걸 그랬어."

"너무해. 근데 나 진지하게 할 말 있어."

"뭔데? 또 섹스 관련된 거면, 지금 여기서 너의 코를 주먹으로 쳐버릴 거야."

"무섭다. 나, 내일 아침 후로 못 볼지도 몰라."

"그건 뭔 개소리야."

"내일 유지운 형이랑 본가에 다녀오기로 했거든. 근데 알잖아, 유지운 형 정상적인 사고방식이 아닌 거. 그 형은 좀비 소굴에 둘이 버려져도 나 혼자 남기고 떠날 사람이야. 그래서 못 볼지도 몰라. 마지막을 같이 즐기자는 거였는데, 장난이 심했다, 그렇지?"

"갑자기 분위기를 왜 이렇게 만드는 거야. 내일 너 돌아올 수 있겠지. 유지운 그 미친 사람이라도 어떻게 소꿉친구를 버리고 튀겠어."

"몰라… 그 형은 그럴지도 몰라. 그러니까 마지막 밤을 즐기자. 응? 섹스를 원하는 게 아니야. 그냥 나랑 같이 있어 줘. 평소처럼."

"그럼, 키스하자. 새벽 내내. 동이 틀 때까지 하자. 너를 못 볼지도 모르잖아. 그리고 그거 알아? 내일이 네가 나를 네 것으로 만들기로 한 지 2주째 되는 날이야."

"그거 일일이 세고 있던 거야? 우현이 너무 귀여워."

"사내새끼가 뭐가 귀엽다고. 키스하자. 버텨볼게."

그가 나를 벽으로 몰아붙이곤 진하게 입을 맞췄다. 혀끼리 섞이는 게 느껴져 이상했다. 나의 신체 일부가 아닌 다른 것이 나의 몸 안에 들어오니 이질감이 들어서 참을 수가 없었다. 방 안에는 우리 둘의 키스 소리만 울려 퍼졌다. 혀끼리 섞이는 소리가 들려서야했다. 그때 그가 나의 양 귀를 막았다. 막자마자 우리 둘의 혀가 섞이는 소리와 숨소리, 나의 심장 박동이 들려 이상하게 흥분됐다. 심장이 이렇게 빨리 뛰고 있었다니, 내가 이상한 거 같다.

"자, 잠시만 멈춰봐. 나 지금 졸라 흥분돼."

"너 지금 표정 너무 야해." 서찬원이 헐떡이며 말했다.

"설 것 같다, 졸라."

"할까?"

"………시발."

58.

눈을 떠보니 다행히도 서찬원이 나의 옆에 있었다. 곤히 자는 그의 모습을 보며 안도했다. 오랜만에 수면제 없이 잠든 밤이었다. 아, 아!? 어젯밤 있었던 일이 현실이라는 것을 깨닫고 절규했다. 방안에서만 울릴 정도였다. 말도 안 돼!

"깜짝이야!" 그가 침대에서 벌떡 일어나며 말했다.

"너, 너 어제 있던 일 기억 나냐?!"

"아니?"

"뭐?"

"나 어제 술 먹고 취했었나 봐. 아, 머리야." 그가 머리를 부여 잡고 말했다.

사고가 멈출 수밖에 없었다. 나 그럼 혼자 술 취한 애랑 뭘 한 거지? 기억도 못 하는 애랑? 뭐?

"농담이야. 연기 배웠다니까. 우현이 계속 속네."

"꺼져!"

"미안해. 우리 곧 못 볼지도 모르는데 너무해."

"안 가면 안 돼?"

"응? 가지 말까?"

"시발 몰라………."

"흐흐 전우현 너무 좋아. 그럼 나 14일 만에 너를 내 것으로 만드는 거, 성공한 거야?"

"아 몰라! 몰라!" 부끄럽고 민망해서 이불 속으로 숨어들었다.

"우현아. 왜 숨어."

그의 말이 끝나자 휴대폰이 울렸다. 나의 것은 아니었다. 서찬 원의 것이었는지 그는 한참 동안 말이 없었다. 무슨 일이 있는 것 일까.

"우현아, 가기 싫어."

그도 이불 속으로 들어왔다. 얼굴이 서글퍼 보였다.

"안 가면 되잖아."

"갈 수밖에 없어."

"아쉽네."

"나 곧 나가야 해."

"지금 몇 시인데?"

"오전 9시. 지운이 형이 빨리 나오라고 문자 보냈어. 너랑 좀 더 있고 싶은데."

"마지막으로 키스하고 가."

"진짜!? 그래도 돼!?"

"어."

그와 기분 좋게 입을 맞췄다. 가볍게 입을 맞춘 뒤에 그가 나의 입술을 혀로 핥고 빨았다. 내가 먼저 그의 입안으로 나의 혀를 집어넣었다. 그는 자신의 혀로 나의 혀를 훑었다. 기분 좋았다. 어제보다도 진한 키스였다. 이불 안에서 땀에 찌든 채 입맞춤을 이어나갔다.

그가 이불을 걷어냈다. 환한 햇빛이 비치자 그의 얼굴이 유난히 잘 보였다. 야한 표정이었다. 아아… 나도 저런 얼굴을 하는 건 아니겠지. 서로에게 갈구하며 다시 키스를 나눴다. 속옷만 입은 채라 서로의 몸이 닿았다. 끈적한 땀과 살이 엉겨 붙어서 찝찝했다. 후끈해진 공기며 헐떡이며 키스를 나눈 우리며 모든 것이 야하다.

"좋아해…." 서찬원이 말했다.

"…나도."

서찬원이 눈이 커진 채 나를 바라봤다. 아무래도 내가 이 말을 하게 될 줄 몰랐던 것이겠지.

"다녀올게."

"응, 꼭 다녀와."

서찬원이 나의 볼에 가볍게 입을 맞추고 옷을 입었다. 그가 돌아오지 않는다면 어쩌지? 울어버릴 것만 같다.

"우현아 안녕."

59.

오후 4시가 지났는데도 서찬원이 돌아오지 않는다. 불길한 생각밖에 들지 않아 미쳐버릴 거 같다. 약을 먹고 잠드는 게 좋을 거 같다. 자고 일어나면 서찬원이 와있겠지? 그랬으면 좋겠다.

수면제를 가지러 가기 위해서 3층으로 내려갔다. 예전에 지냈던 방의 문을 열자마자 보인 건 키스를 나누고 있던 현규 형과 유지운이었다. 아아아아 부정할 수 없다. 현실을 맞닥뜨리고 말았다. 눈물과 구역질이 나오려는 걸 간신히 참았다.

"우, 우현아 이건. 우현아 네가 생각하는 그런 거 아니야. 우현아." 민현규가 당황하며 횡설수설했다.

"이젠 부정할 수도 없게 되어버렸네요. 믿고 싶지 않았는데."

가방만 챙겨 들고 방을 나왔다. 구역질과 눈물이 쏠려 나오는 걸 간신히 참았다. 민현규는 내가 나오자마자 곧장 나를 따라 나왔다.

"우현아, 네가 생각하는 그런 거 아냐. 우현아, 오해하지 마. 진짜, 아무것도 아니야."

"아무것도 아니면 형이 이렇게 해명하고 계시겠어요? 그냥 저도 이젠 너무 지쳤고 힘들어요. 형이 그 사람이랑 섹스하든 키스하든 제 알 바는 아니니깐요, 마음대로 해요."

"우현아 무슨 말을 그렇게."

"형. 제발 부탁이에요. 저 좀 붙잡지 마세요. 제가 그러지 말라고 하면 그러지 말아줘요. 형을 좋아하니까 형이 그럴 때마다 마음이 약해진단 말이에요. 저 붙잡지 마세요. 유지운이랑 그냥 잘 지내세요. 저 같은 건 신경 말고요. 앞으로 형 인생에, 형 눈에 띌 일 없을 거니까 저는 신경 쓰지 마세요."

나도 모르게 그에게 나의 마음을 고백해버렸다. 이렇게 말할 생각은 아니었는데, 분위기를 잡고 멋지게 말할 생각이었는데. 유지운이 오고 모든 것이 망했다. 몰라. 몰라 이젠 아무것도 모르겠어.

민현규가 떠나려는 나의 손목을 붙잡았다. 그리곤 입을 열었다.

"우현."

"형! 형은 눈치가 왜 그렇게 없는 거예요? 진짜 저능아인 거에요? 제가 그만하라고 하면 그만 하세요! 저도 사람이라 한계가 있고 선이 있어요. 제발 그 선 좀 넘지 마세요, 형! 한계를 넘어서도 제가 참는 것도 힘들어요. 그만 해요. 형."

"미안해, 저능해서. 우리 이거 하나로 대화를 이제 일절 안 하겠다는 거야? 고작 이거 하나로?"

"하나가 아니에요. 형. 여태까지 형이 저한테 해 온 행동들 전부 10개는 훌쩍 넘어요. 저를 바로 옆에 두고도 신경 안 쓰셨잖아요. 이곳에 오지 않았던 때가 그리워요. 형과 제가 유일하게 행복했던 때잖아요. 기억해요? 기억 못 하겠죠. 형은 솔직히 말해선 이

곳이 더 행복할 테니까.”

“그건 내가 잘못했어.”

“형이 뭘 잘못했는지 정확히 알고 계세요? 모르면 말씀 마세요. 제 마음을 진정시키는 것도 힘들고 형을 잊는 것도 힘들어요. 아무리 다시 생각해도 저는 형을 미워할 수 없다고요! 그러니까 제발 붙잡지 좀 마요. 형을 미워하지 못하니 형을 미워할 수 없는 저를 미워할 테니까요.”

그렇게 말하자 그는 아무 말 없었다. 묵묵히 내 말을 들어주던 그의 표정은 기억나지 않는다. 화낸 쪽은 오히려 난데 눈물은 형이 아니라 내가 났다. 오열하듯 울면서 자리를 떴다.

60.

우현이와 대판 싸우고 말았다. 우현이가 키스 장면을 보게 될 줄은 몰랐다. 그리고 그걸로 그렇게 화를 낼 줄도 몰랐다. 우현이가 많이 예민해져 있었던 거 같다. 나는 우현이에게 뭘 해야 할지 모르겠다. 우현이가 내게 마음이 있다고 했다. 그것조차 어떻게 받아들여야 할지 모르겠다. 우현이는 좋은 동생 사이였을 뿐인데, 내가 괜히 그를 헷갈리게 대했는지도 모르겠다.

실은 우현이가 울면서 돌아가는 걸 봤다. 정말 뭘 해야 할지 모르겠다. 내가 저능해서 그런 게 맞는 거 같다. 우현이도 그랬다. 저능하냐고. 아마도 맞는 거 같다. 그런 게 아니면 어떻게 이렇게 감정이 잘 느껴지지 않는 것이겠어.

"어 현규 선배! 오랜만이에요!"

주현아가 나의 눈앞에 있었다. 꽤 오래 못 본 것 같은 주현아는 꽤 말라 있었다.

"응, 오랜만이네."

"찬원 오빠 보셨어요? 채희가 찾고 있는데 안 보인대요."

"………아니. 미안 못 봤어."

"아 그래요? 알겠어요. 우현 선배는 어디 계셔요?"

"아마… 4층에 있을 거야. 솔직히 잘 모르겠어."

"네! 감사해요! 어, 근데 선배 울어요?"

"내가 운다고?"

볼을 타고 흐르는 따스한 물이 느껴졌다. 아, 왜 우는 걸까. 눈물을 흘린 것은 전부 우현이 때문이다. 감정표현에 무능해졌다. 눈물을 흘리는 것조차 모르다니. 눈물을 흘린다는 걸 깨닫게 되자 멈출 수가 없었다. 주현아는 당황해했다.

"괜찮아요? 왜 울어요? 무슨 일 있어요? 울지 마세요."

"걱정하지 마. 아무것도 아니니까, 그냥, 그냥 옛 생각이 나서 그런가 봐."

"그래도요. 울지 마세요! 우니까 제 가슴이 다 미어지네요. 선배 우는 거 보면 너무 가슴 아파요. 그러니까 울지 마세요. 분명 우현 선배도 걱정하실 거예요."

우현이, 그래, 그 아이도 내가 이런 반응을 해주길 바랐던 걸까. 감정표현을 제대로 할 수 없어서 어렵다. 주현아와 같이 감정을 잘 표현 할 수 있다면 좋을 텐데.

61.

유지운이 나의 볼을 쓰다듬었다. 눈물이 흘러서 볼이 축축 해져 있었다. 어두워진 방에서 우리 둘은 같은 침대에 누워 서로의 눈만 바라봤다.

"너 울었지?" 유지운이 말했다.

"응."

"왜 울었어? 무슨 일 있어? 아까 우현이 때문에?"

"…응, 우현이랑 크게 싸웠거든. 근데 우현이가 나를 좋아한다 고 했어. 이건 어떻게 받아들여야 할까?"

"그냥 걔도 너를 좋아한 거지, 나처럼. 타이밍을 놓쳤을 뿐이야 걔는. 기회가 왔다면 기회를 먼저 잡는 자가 유리한 거야. 전우현 걔는 그 기회를 한참 전에 놓쳐버리고 만 거지. 그러니까 너무 걱 정하지 마."

"응. 그래도 형이 있어서 다행이야."

그의 품에 얼굴을 묻었다. 유지운의 품은 따뜻했다. 기분이 조 금은 나아졌다. 유지운이 나의 머리칼을 살살 쓰다듬었다. 심장이 또 아프다. 이럴 때 아프면 안 되는데, 눈치도 없다. 나의 심장도 나를 따라 저능한 걸까.

심장이 아프다. 숨을 쉬는 게 힘들다. 유지운의 품을 벗어났다. 오늘은 이미 약을 세 알이나 먹었는데, 왜 아픈 거야. 이 약에도 내성이 생겨버린 건 아니어야 한다. 이 약도 효과가 들지 않는다면 나는 고통 속에서 하루하루 수명이 깎여가는 수밖에 없다.

"괜찮아? 어디 아파?" 그가 몸을 일으켜 세워 말했다.

"아파. 심장, 이………."

"약은 먹었어?"

나는 대답 대신 고개를 끄덕였다. 숨을 일정하게 쉬기 위해서 심호흡했다. 과호흡이 와 숨쉬기가 힘들었다. 심호흡해도 몸이 말을 듣지 않았다. 심장이 너무 아프다. 고통스러워.

"기다려. 진통제 가져올게. 아니면 수면제 먹고 잠이라도 자자. 조금만 참아. 이럴 때 네 곁에 있어 주지 못해서 미안해."

그는 그 말을 남기고 방을 뒤지기 시작했다. 큰 방이 나의 앓는 소리로 가득 찼다. 정신이 혼미해져 갔다. 이게 몇 번째 정신을 잃는 건지도 모르겠다. 이러다가 어느 날 눈을 못 뜰까 봐 걱정이다.

"현규야, 약 찾았어. 일어나."

잠깐 정신을 잃었던 거 같다. 정신을 차리고 일어나 보니 유지운의 눈망울은 심하게 흔들리고 있었다.

"형, 눈동자가 많이 흔들려."

"아, 아… 그래? 네가 안 깨어날 줄 알고 걱정했어. 아까부터 너를 흔들어 깨웠단 말이야. 너무 초조해서, 너무 급해서 떨리나 봐. 아 어떡하지? 네가 일어났다는 자체만으로 울어버릴 거 같아. 현규야…."

"울지마, 형."

툭툭 눈물마저 투박하게 흐르던 그는 손까지 벌벌 떨었다. 눈물을 슥 닦아주곤 그의 입에 살짝 입을 맞췄다. 맞추어진 입으로 온기가 옮겨왔다. 따뜻하다. 내 입술이 차가운 것일까. 온몸이 차가워

지기 시작했다. 정말 곧 죽어버릴 거 같다. 삶이 위태롭다.

62.

다시 눈을 뜬 건 오전 11시였다. 유지운은 옆에 없었다. 약을 먹고 잠들어서인지 오늘은 몸이 좀 나아진 거 같다. 그러나 오늘따라 허리가 미친 듯이 아프다. 비가 오려나 보다.

파스를 붙여줄 사람을 찾기 위해서 방을 나섰다. 방을 나서자 주현아가 무언가 초조한 듯 같은 자리를 빙빙 돌고 있었다. 나의 발소리가 그의 귀에 들어간 것인지 그는 나를 쳐다봤다. 나를 한 줄기의 빛으로 보는 듯한 눈빛이었다.

"선배! 채희 보셨어요? 채희가 오늘 아침부터 보이지가 않아요! 제 연락도 안 받고요! 채희가 돌아오지 않으면 어쩌죠? 돌아오겠죠? 그렇죠?"

"그러지 않을까. 지운이 형도 없어졌어. 아무래도 둘이 같이 나갔나 봐."

"그렇겠죠? 지운이 오빠는 키도 크고 힘도 좋으니까 믿을 수 있어요. 좋은 사람이니까요. 채희가 꼭 돌아왔으면 좋겠어요."

주현아의 간절함이 나한테까지 전해졌다. 둘은 우애가 깊은 것 같다. 나와 우현이 같지 않게.

"선배, 전우현 선배랑 싸우셨어요?"

"응. …왜?"

"전우현 선배 어제부터 혼자 다니시잖아요. 제가 말이라도 걸려고 하면 엄청나게 화내셔요. 선배에 관한 이야기 꺼내면 묵묵히 듣고는 엄청나게 화를 내시고요! 그리고 어제 선배 울고 계셨던 거랑 전우현 선배 울고 계신 거 보면 싸우신 거 같아서요. 왜 싸우셨는데요?"

"너희한테 들켰던 것처럼 우현이한테도 우리가 그런 사이인 걸 들켰어. 근데 우현이가 그걸 보고 엄청나게 화를 냈어. 나도 말을 심하게 했고. 우현이가 평소에 나한테 쌓인 게 많았었나 봐. 그걸 묵묵히 쌓아두고 있어서 터진 거 같아. 내가 잘못한 거야."

"아니, 그거 때문에 싸우신 거예요?" 주현아가 어처구니없다는 듯이 말했다.

"응. 평소에 내가 우현이한테 너무 무신경했어."

"전우현 선배랑 다시 대화 나눠봐요! 제가 자리 마련해드릴까요?"

"그래 주면 고마워."

"네! 맡겨만 주세요. 이런 거 전문이거든요."

옥상에 올라왔다. 그곳엔 전우현이 나를 기다리고 있었다. 매서운 눈이었다.

"할 말이 뭔데요?"

"잘못했어."

그에게 무릎을 꿇었다. 저번과는 반대되는 상황이었다. 전우현은 어떠한 반응도 보이지 않았다.

"뭘 잘못하신 건지 아시냐고요."

"…솔직히 그건 아직도 잘 모르겠어. 내가 너에게 무신경했던 게 너무 많았나 봐. 그만큼 너는 상처 받았겠지? 미안해. 진짜 정말 미안해. 내가 감정표현이 서툴러서 미안해. 근데 진짜 나 많이 반성했어. 용서해줘. 정말 미안해."

"형, 한다는 게 고작 그 말이에요? 그럼 나도 그때 그냥 이러고 말죠. 지랄 떨지 마세요. 이 마음 변할 일 없을 거 같으니까. 괜히 무릎 아프게 사과하시지 마요. 형 허리도 안 좋으시잖아요. 그냥 방 안에서 편안히 유지운이랑 있으세요. 저 같은 건 신경 쓰시지 마세요."

전우현은 그러곤 옥상을 떠나버렸다. 화가 머리끝까지 치밀어 올라 보였던 그의 분위기에 압도돼 아무런 말도 다시 꺼낼 수 없었다. 그와 이런 상태가 지속된다면 나는 어떤 행동을 해야 하는지 모르겠다.

63.

구토가 쏠려 나올 거 같다. 토 나올 거 같은 이 분위기가 너무 싫다. 너무 싫어서 몸이 떨렸다. 민현규가 나한테 이렇게 사과하는 게 너무 싫었다. 내게 무릎을 꿇은 채 그는 땅만 보고 사과를 했다. 로봇같이 딱딱하게 이어나가는 그의 사과는 볼품없었다. 그를 짓밟아버리고 싶었다. 민현규가 너무 미웠다. 밉다.

옥상에서 나오자마자 주현아는 어땠냐고 물어왔다. 그의 말에 대답도 하지 않고 나는 빠른 속도로 계단을 내려갔다. 4층에 있는 우리의 방에 들어가선 서찬원의 냄새를 맡았다. 그가 평소에 뿌렸다던 향수를 온 방에 뿌렸다. 그리고 그의 핸드크림도 손에 펴발랐다. 그 향들을 맡고 있을 때면 눈물이 멈추지 않는다. 왼쪽 눈도 뜨거워지는 걸 느꼈다. 서찬원의 목소리가 듣고 싶다. 그가 돌아오지 않는다는 사실이 믿기지 않는다. 당장이라도 이 문을 열고 우현아! 라고 나를 부를 것 같았다. 너무나도 많이 울어 머리가 아프다.

　새로운 날이 밝고 언제나 그래왔듯이 향수를 뿌렸다. 서찬원의 향기는 맡기 좋았다. 좋은 향이다. 서찬원은 어디서 무엇을 했을까.
　시발 그래, 이건 다 유지운 때문이야. 유지운 그 새끼를 죽이면 이 혐오감은 사라질 거야.
　쿵쿵대며 3층으로 내려갔다. 유지운은 옥상으로 가는 계단 바로 옆에 서서 한 곳만 응시하고 있었다. 그곳엔 민현규가 있었다. 더욱더 토 나올 거 같았다. 유지운을 죽일 듯이 노려보며 그에게로 향했다. 유지운은 자신에게 다가오는 것을 그제야 느낀 것인지 눈이 내게로 향했다. 화를 주체하지 못하고 그의 멱살을 잡았다. 유지운은 크게 당황한 거 같았다.
　"뭐 하는 거야?" 유지운이 말했다.
　"너 같은 건 살아갈 가치가 없어."
　"왜? 내가 뭘 했는데?"
　"서찬원 어디 간 건데! 너랑 같이 떠나고 나서 돌아오지를 않잖아! 너는 왜 혼자 돌아온 건데!"

"알고 싶어?"

"진짜 뒤지고 싶은 거지?"

"듣지 않는 게 좋을 텐데, 정말이지? 서찬원을 만나봤자 너는 충격밖에 받지 못할 텐데 정말 궁금해?"

"그렇다고!"

"죽었는데. 온몸의 구멍에서 피가 나오면서. 그런데도 상태가 궁금해? 얼굴을 보고 싶은 거야?"

"도대체 어떻게 하면 온몸의 구멍에서 피가 나오는 건데? 시발 네가 뭔 짓 했구나?"

"아니? 돌연변이 좀비에게 물린 것뿐이야. 내가 그걸 알아내느라 연구소에서 밤낮없이 서찬원의 시체만 봤다고. 나도 좀 이해해 주라."

"널 어떻게 이해해야 하는데? 연구소는 무슨 소리야? 설마 네가 좀비 바이러스 만든 거냐? 초반에 연구원이 미쳐서 그런 거라는 소문이 돌았었잖아!"

"내가 어떻게 그런 대단한 짓을 하겠어? 내겐 득도 없는데. 소문은 소문일 뿐이야."

평소와 다름없이 얼굴의 감정 변화가 일어나지 않아서 진실인지 거짓인지 구분할 수 없었다. 유지운은 알 수 없는 미친놈이다. 민현규도 그의 진실한 모습을 아직 모를 것이다. 이 미친놈의 모습을.

"네가 한 거 맞지?"

"아니라니까. 내가 어떻게 바이러스 같은 걸 만들 수 있겠어.

난 좀비 바이러스 일어나기 직전에 연구소에 들어갔다고. 나일 리가 없잖아?" 그는 정말 아무렇지 않은 표정으로 말했다.

64.

전우현을 뒤로하고 유지운을 따라 밖으로 나섰다. 유지운은 무
섭다. 솔직히 정신이상자가 맞는 거 같다. 두렵다. 이렇게 그와 걷
는 것도 정말 무섭다. 아까부터 목이 타 죽을 거 같다. 어제부터
아무런 수분을 섭취하지 못했다.

"찬원아."

"응?"

"너 현규 심장병 있는 거 알아?"

"응. 알아."

"안타까워. 고운 아이인데."

"아… 응. 맞아. 안 됐어."

"물 마실래? 오늘 햇볕이 뜨겁네."

"아! 고마워! 아 목말랐는데 잘 됐다."

그가 건넨 물을 벌컥벌컥 들이켰다. 살 거 같았다. 잠시만, 그가
준 물을 이렇게 마셔도 되는 걸까? 들이켜던 물을 입에서 떼어냈
다.

"다 마셨으면 나 좀 줄래? 나도 마시게." 그가 미묘한 미소를
짓고는 말했다.

다행이다. 자신도 달라는 걸 보면 뭘 탄 거 같지는 않다. 다행
이다. 앞이 흐리다. 눈앞이 하얗게 가려서 보이지 않는다.

눈을 떠보니 온몸이 구속된 채였다. 방은 알 수 없는 연구실이

었고 모든 것이 하얬다. 이상한 화학 약품 냄새도 났다. 유지운 형은 어디로 간 것이지? 그때 연구실 문이 열리며 방호복을 입은 연구원이 들어왔다. 눈은 까만 고글을 쓰고 있어 눈을 확인할 수는 없었다. 마스크를 써서 하관도 확인할 수 없었다. 유지운 형도 붙잡힌 건가? 아니면 저 사람이 유지운 형인 건가? 입은 무언가로 막혀 있어 말을 할 수 없었다.

그 연구원은 주사기를 꺼내더니 어느 약물을 그 안에 주입했다. 설마 저걸 내게 놓을 셈은 아니겠지? 나는 선단 공포증을 갖고 있다. 뾰족한 것만 보면 기절할 듯이 무서운데 저걸 내게로 가져온다고? 유지운 형은 그 사실을 알고 있다. 그러므로 유지운 형은 아닐 것이다.

아아 다가오는 주삿바늘을 피하려 최대한 팔을 이리저리 움직였다. 구속된 팔은 그다지 쉽사리 옮겨지지 않았고 그 연구원은 내 팔에 주삿바늘을 꽂았다. 주삿바늘이 꽂히는 팔을 보자마자 나는 숨이 쉬기 힘들어졌다. 머리가 어지럽고 고개를 똑바로 들 수가 없었다. 이 행동을 본 연구원은 나의 입을 막고 있는 무언가를 제거하고 내게 약을 억지로 먹였다. 목구멍 바로 앞까지 다가온 손가락에 어쩔 수 없이 약을 삼켜버렸다. 구역질 났다.

잠시 뒤 참을 수 없는 고통이 몰려왔다. 난생처음 겪어보는 고통이었다. 죽는 게 나을 것 같은 고통이다. 코피가 흐르는 게 느껴졌다. 주르륵 흐르는 코피가 턱 끝까지 향해 나의 옷에 톡톡 떨어질 때 즈음 컥, 하고 기침이 나왔다. 이리도 고통스러운 기침은 처음이었다. 아, 아아아아 온 곳으로 피가 튀었다. 토혈을 해버리고

만 것이다. 나의 몸 안에서 무슨 일이 일어나고 있는지 모르겠다. 죽고 싶지 않다. 죽고 싶지 않다. 살고 싶다. 눈을 뜰 수도 없는 고통이 느껴졌다. 왜인지 모르겠다. 코피는 멈출 새 없이 뚝뚝뚝 흐르고 눈은 양쪽 눈 둘 다 제대로 뜰 수도 없고 기침은 계속해서 나왔다. 귀에서 갑자기 삐- 하고 큰 소리가 났다. 귀마저 아파졌다. 숨을 쉬기 힘들었다. 그때 연구원이 들어오곤 아무렇지 않게 무언 갈 작성했다. 그리곤 연구실의 불은 꺼졌다.

구원자

65.

유지운 오빠랑 같이 백화점을 나서니 가을의 햇빛이 우릴 맞이했다. 유지운 오빠는 나의 옆에 서서 야구 배트를 들고 걸어갔다. 아마 좀비를 잡기 위해서인 것 같다. 유지운 오빠가 서찬원… 오빠의 시체를 발견했다고 같이 보러 가자고 했다. 상태를 살피자는 말인 거 같다. 서찬원이 죽었다니, 믿을 수 없다. 그리도 좋아했던 사람인데.

"채희야 신발 끈 풀렸다." 그가 조용한 목소리로 말했다.

"아 응."

신발 끈을 묶으려 몸을 숙인 순간 뒤에서 무언가 세게 나의 머리를 강타했다. 너무도 센 고통이라 놀랄 틈도 없이 그대로 땅에 엎어졌다. 넘어지면서 이를 땅에 박아서 그대로 생니 두 개가 뽑혔다. 철철 흐르는 피가 보였다. 아… 피 나면 안 되는데. 나의 혈액형은 RH-B형, 희귀한 혈액형이라 쉽게 수혈받기 힘들다. 피를 흘리면 안 되는데.

흐르는 피들 사이에서 정신을 잃고 다시 깨어난 건 수술대 같은 곳이었다. 온몸이 구속되어 있었고 어째서인지 말을 할 수가 없었다. 연구원이 수술실 같은 곳의 문의 열고 들어왔다. 저 연구원 지운이 오빠가? 그가 내 머리를 가격하고 이곳으로 끌고 온 건가? 그때 연구원으로 보이는 사람이 내게로 와선 나에게 어느 약물을 투입했다. 그 약물을 주사 맞자마자 나는 고통에 몸을 가눌 수 없었다. 가까스로 정신을 부여잡았다. 부여잡은 정신들은 이상했다.

온갖 환각이 보이고 환청이 들렸다. 어릴 적 죽은 친언니의 목소리까지 들렸다. 채희야, 놀자고 부르는 사고로 죽은 옆집 아이, 채희야 밥 먹어야지 하고 나를 부르는 죽은 할머니의 목소리, 모든 것이 뒤엉켜서 나를 저승에서 불렀다. 무섭다, 무서워. 무서워. 심장이 요동쳤다. 내 앞에선 여러 비 생명체들이 우글거렸다. 그 중엔 몸이 반 토막 나버린 여자가 상반신으로만 쿵쿵 뛰어다니고 있었다. 엄마였다. 숨통이 조여왔다. 그 주사기엔 뭐가 들어있던 거지? 주사를 놓는 솜씨는 이상했다. 간호사가 되고 싶어서 주삿바늘을 꽂는 자세 같은 것은 기억하고 있다. 그렇지만 그 연구원은 이상했다. 유지운 오빠는 간호학이 진로라고 했으니까 주사를 놓는 방법이나 자세 같은 건 알고 있을 것이다. 아, 지운이 오빠는 아니다. 괜한 오해를 했다.

생각들이 길어질수록 숨통은 조여만 왔다. 생각하는 것도 버거워질 때 즈음 연구원이 다시 수술실로 들어왔다. 그 연구원은 무언가를 종이에 작성하고는 나가버렸다. 이 수술실의 불은 꺼져버렸다.

구원자

66.

유지운과 침대에 같이 누웠다. 유지운은 갑자기 일어나더니 자신의 서랍에서 작은 가방을 꺼냈다. 그 가방 안에 들어있던 건 카메라였다. 그가 가방 안에서 카메라를 꺼내다 사진 하나가 딸려 나왔다.

"우리 사진 찍자."

"갑자기?"

"응. 우리가 살아남았다는 증거로 남겨 놓자. 그리고 너랑 나랑 사진 같이 찍은 것도 없잖아."

"응, 그래. 근데 형, 이 사진은 누구야?" 떨어진 사진을 들고 그에게 보여주며 말했다.

"아… 내 친구랑 나야."

"뭐? 형일 줄 몰랐어!"

"하긴, 이때는 머리도 짧고, 4년 된 사진이거든. 중학교 졸업할 때 찍은 사진이야. 오른쪽이 나고 왼쪽이 내 친구야."

그가 사진을 나의 손에서 가로채 가며 말했다. 유지운은 왜인지 서글퍼 보이는 것 같았다.

"형 친구 이름은 뭐야?"

"정윤호야. 중학교 때 유일한 친구였는데… 지금은 어떻게 됐는지 모르겠어. 중학교 졸업하고 바로 연락이 끊겼거든."

사진 속 유지운은 머리가 짧고 다크서클 하나 없었다. 지금과는 정반대의 모습이었다. 울기라도 한 건지 눈가가 붉었다. 유지운이 입고 있는 교복은 전국에서 유명한 명문중학교의 교복이었다. 정윤호라는 사람은 밝은 갈색 머리의 사람이었다. 웃고는 있지만 슬퍼 보이는 얼굴이었다. 유지운의 학창 시절 모습은 처음 봐 기분이 이상했다.

"이 이야기는 다음에 다시 하고, 우리 사진이나 찍자."

그가 카메라를 돌려 렌즈가 우리를 바라볼 수 있게 했다. 이 카메라로 우리의 모습을 찍으려면 이 방법밖에 없는 것일까?

"자, 찍을게."

오른손으로 브이를 만들어 얼굴에 가져다 댔다. 유지운은 슬며시 웃기만 했다. 그가 카메라 셔터를 눌렀다.

"찍혔다."

"근데 이 카메라는 아까 그 사진처럼 폴라로이드로 안 나와?"

"…응. 그 카메라는 내가 회사 들어가자마자 버렸어."

"왜? 저 사진 보니까 사진 괜찮게 나오는 거 같던데."

"부모가 사준 건데 솔직히 부모는 나한테 잘해준 게 없어서 그냥 갖다버렸어. 윤호랑 찍은 사진은 남겨두고…."

유지운은 정윤호 그 사람을 매우 좋아했던 것 같다.

"혹시 윤호 질투하는 건 아니지?"

"안 해. 형도 나랑 우현이 질투 안 했잖아."

"내가 전우현 보다 잘난 걸 알고 있었으니까. 윤호랑 나랑은 그냥 우정뿐이었으니까 걱정하지 마."

"질투 안 한다니까."

67.

　새들의 지저귐에 눈이 떠졌다. 어젯밤, 유지운과 사진 이야기를 나누다가 나도 모르게 잠든 것 같다. 옆을 보니 유지운은 이미 일어나 있었다. 자신의 낡은 구식 휴대폰을 보고 있었다.

　"형…."

　"일어났어?"

　"응. 휴대폰은 왜 봐?"

　"너랑 찍은 사진 여기로 옮겼거든. 휴대폰은 옛날 거라서 화질이 안 좋은 게 조금 아쉽네."

　"으응…." 눈을 비비며 내가 말했다.

　"민현규는, 너무 귀엽네. 너 일부러 그러는 거지? 네가 귀여운 거 알고."

　"뭐래?"

　"키스나 하자."

　"아직 씻지도 않았는데?"

　"괜찮아."

　그는 말이 끝나기 무섭게 입을 맞췄다. 역시나 그의 혀는 너무 썼다. 그가 나의 입술을 혀로 핥았다. 그의 이런 변태 같은 면모는 나만 알 것이다. 혀로 핥던 그는 이내 이로 나의 입술을 또 깨물었다.

　"아!"

　"미안, 아팠어?"

"응!"

"미안. 아, 너랑 키스만 하면 참을 수가 없어져."

그는 나의 입술에 송골송골 맺힌 핏방울들을 엄지로 닦아냈다. 그리고선 자신의 엄지에 묻은 나의 피를 핥아먹었다. 소름 끼쳤다.

"뭐 하는 거야아…."

"우리 키스 한 번만 더 하면 안 돼? 아프게 해서 미안해. 너랑 키스하면 행복해져."

"응…."

또 그를 이겨내지 못하고 입을 맞췄다.

입술을 맞댔다. 맞닿은 입술은 얼얼했다. 아까 전 났던 피 때문인 것 같다.

"입술 부었나 봐. 아까랑 두께가 다르네."

"형 때문이야."

"미안해. 이젠 조심할게. 얼음팩이라도 가져다 댈래? 지하 같이 내려가자."

그와 손을 잡고 지하로 내려갔다. 지하로 내려가는 에스컬레이터 앞에 전우현과 주현아가 둘이서 내려가고 있었다. 그 둘은 우리가 온 줄 모르는 듯했다. 주현아는 혼자서 엄청나게 조잘댔다. 전우현은 관심도 없어 보였다. 전우현과 아직 화해하지 않은 게 떠올랐다.

"우현 선배, 그래서 오늘 저녁에도 같이 밥 먹을 거예요?"

"몰라. 이따 잠깐 밖에 나갔다 올 거야. 저녁 전에 올지 안 올지 모르겠는데."

　"어 저도 같이 가요!"

　"안돼. 나 혼자 다녀올 거야. 네가 옆에 있으면 조잘거릴 게 뻔하잖아. 난 죽기 싫어. ….죽는 게 나을지도 모르겠다."

　"네!? 왜요!? 왜 죽는 게 나아요!"

　"시이이발 몰라 서찬원도 없고, 인생이 재밌지도 않아. 서찬원이 있어야 인생이 재밌을 텐데. 졸라 눈물 나오네, 갑자기."

　그렇게 주현아와 대화를 나누던 전우현은 눈물을 쏟아냈다. 엄청나게 오열해서 뒤에서 달래줘야 할지 말지 고민했다.

　"어, 선배 울지 마세요! 서찬원 오빠는 살아있을 거예요. 걱정마요 선배. 선배가 우시면 저도 울어버릴 거 같아요."

　"유지운 그 병신같은 새끼가, 서찬원 뒤졌다고 그랬어."

　그의 대화를 엿듣던 나는 귀가 쫑긋 설 수밖에 없었다. 서찬원이 죽었다니? 유지운은 뭘하고 돌아다닌 거지?

68.

내가 왜 나가기로 결정을 내린 건지 모르겠다. 진짜 모르겠다. 서찬원의 흔적을 찾아 떠나는 것 같았다. 솔직히 이곳으로 다시 살아서 돌아올지도 미지수다. 살아온다면 기적이고, 그렇지 못하면 그저 그게 이 이야기의 결말일 것이다.

도끼 한 자루만 손에 들고 밖으로 향했다. 밖에선 바람이 많이 불고 있었다. 바람막이를 입고 오지 않아서 다행이다. 좀비들은 바람과 같은 자연의 소리에 반응을 보이지 않았다. 그것만은 다행이다.

그냥 무작정 길을 따라 걸었다. 도끼는 날이 선 채 위태롭게 나의 손에 들려있었다. 도끼가 손에서 놓쳐질까 조마조마했다. 좀비들의 사이로 걸어갈 때는 언제나 심장의 박동이 빨라진다. 좀비들은 후각이 없다. 강세연이 살아있을 때 들려주었다. 강세연이 자살했던 그날, 사실 난 알고 있다. 유지운이 강세연에게 죽으라고 한 것이다. 난 전부 알고 있다. 유지운이 강세연에게 어디서 난 것인지 모를 권총을 하나 건네주는 것도 보았다. 다들 총소리에 잠에서 깨어났을 때 유지운 혼자 귀마개를 끼고 있었다. 평소엔 끼지도 않았으면서. 진짜 유지운은 진짜 정신병자다.

아무런 득이 없던 외출은 끝났다. 다시 백화점 근처로 돌아왔다. 시간은 오후 4시쯤, 좀비들이 가장 배고플 시간이다. 큰일이다.

"아."

아!! 아 아안돼!!! 신고 있던 워커의 끈이 풀려 그만 밟고 넘어지고 말았다. 나의 손엔 도끼가 들려있으니 좀비를 금방 잡고 백화점에 들어가면 되리라 생각했다. 좀비들은 달리기가 사람과는 비교도 되지 않게 빠르므로 달려서 들어가는 건 자살하는 것과 다름없다. 내게로 달려드는 좀비들은 모두 도끼로 처리했다. 이젠 근처에 좀비는 별로 없다. 달려드는 좀비들을 모두 한쪽 눈으로만 보고 처리했다.

그때 와드득하며 무언가 나의 왼쪽 팔을 물었다. 좀비에게 왼팔을 내어준 것이다. 아아아아아아아아아아아!!

왼쪽 눈은 시력을 잃어 보지 못한 것이었다. 아 아아아 아아 찬원아, 아아아. 나의 핏줄을 타고 올라오는 좀비의 타액이 느껴졌다. 왼팔을 잘라내면 나으리라 생각해 왼팔을 도끼로 내리찍었다. 어째서, 어째서야! 어째서!! 내리찍은 팔은 감각이 없었다. 아프지도, 피가 흐르지도 않았다. 팔이 잘려 나가자마자 피는 응고 되어 그 상황에 적응했다. 안 돼 말도 안 돼!!! 눈물이 끝도 없이 흘렀다.

그래도 몸에 빠른 속도로 바이러스가 번지는 건 막은 것 같다. 몇 분은 버틸 수 있을 거 같다. 아니야, 1분 정도는 버틸 거 같다. ….응. 정신이 점점 흐려져 갔다.

서찬원이 저 뒤에서 내게 손을 흔들고 있었다. 서찬원의 모습을 보니 그리움이 밀려왔다. 죽는 것도 나쁘지 않을 거 같다. 아 이젠 글렀다. 안 되겠다.

69.

저 멀리서 전우현 선배의 뒷모습이 보였다. 어서 인사를 하고 싶어졌다. 그런데, 어딘가 이상했다. 목을 가누지 못하는 게 꼭 좀비 같았다. 설마, 설마 하고 도끼를 집어 들었다. 핏자국이 남아있는 도끼를 들고 살금살금 걸어갔다. 전우현 선배가 뒤를 돌아봤다. 항상 쓰고 있던 안대는 벗겨져 있었고 눈은 흰자만 보였다. 믿을 수 없었다. 전우현 선배가 좀비일 리 없어! 몰래카메라지? 그렇지? 현규 선배랑 지운이 오빠가 준비한 몰래카메라지? 손이 너무 떨렸다. 심장은 빠르게 쿵쾅거렸다.

전우현 선배는 나의 발걸음 소리를 들은 것인지 내게로 달려들었다. 선배가 없다면 이젠 살아갈 이유 따위는 없어! 이대로 죽어도 좋아. 하지만 나의 뇌는 감정보다 이성을 중시하는 것 같았다. 아아아…. 날이 선 도끼로 선배의 목을 벴다. 선배의 베어진 목에서는 피가 분수처럼 쏟아져나왔다. 머리가 떨어져 나간 지 5초 정도 지났지만, 몸은 가만히 서서 피를 뿜어냈다. 기괴한 장면이었다. 머리는 데굴데굴 굴러 나의 발밑까지 왔다. 비명조차 나오지 않았다. 안 돼 안 돼. 우현 선배가 없다면 난 살 자신이 없어.

쾅-! 하고 큰 소리를 내며 선배는 뒤로 넘어갔다. 움찔움찔하는 그의 손끝이 그가 살아있는 것 같은 착각을 일으켰다. 아아아! 우현 선배가!!! 왜?! 어째서야 어째서! 어째서 좀비가 돼버린 거야!! 뒤늦은 눈물이 피를 쓸어내릴 만큼 흘렀다. 도끼에는 우현 선배의 붉은색의 피가 묻었다.

어째서지? 어째서야!? 나도 모르는 새 나는 나의 배를 도끼로 갈랐다. 왜, 이런, 생각할 수도 없을 만큼 배가 아팠다. 비명은 나오지도 않았고 피가 대량으로 쏟아졌다. 내가 왜 배를 가른 거지? 선배가 죽어서 미쳐버린 거 같아. 아아아아아아아아아아아아아아아아아아아아아 장기가 빠져나왔다. 대장 소장 전부 빠져나왔다. 아아아아아아아!!!! 너무도 고통스러웠다. 뇌가 빠지는 고통이었다. 아아아아아!!! 숨이, 숨이 쉬어지지 않는다. 폐마저 빠져나올까 두렵다. 심장마저. 아아아!! 너무 아파!!!

70.

주현아와 전우현이 보이지 않는다. 자정이 다 되어가는데 둘 다 보이지 않는다니. 둘이 정말 사귀기라도 한 것일까. 잠시 외출을 나갔던 형을 마중 나가기 위해 백화점 입구로 갔다. 아……… 눈 앞엔 믿을 수 없는 풍경이 펼쳐져 있었다. 입구엔 목이 잘려 나간 전우현과 내장이 잔뜩 빠져나온 주현아의 시체가 놓여있었다. 아아 이게 무슨, 도대체 어떤 일이 있던 거지? 꿈인가? 꿈인가? 우현이가 아니길 바랐다. 그런데도 노란 탈색 머리가 너무도 선명했다. 아아… 주현아의 장기들로 가득 차 역겨운 냄새가 진동했다. 토나올 거 같다. 속이 메스꺼워졌다. 이게 현실인가? 아, 심장이 아프다. 그들의 옆에 주저앉아 심장을 부여잡았다. 숨이 고르지 못했다. 머리가 지끈거렸다. 우현아 우현아 우현아… 우현아. 사과 한마디 제대로 하지 못한 거 같아 미안하다. 우현아 조금만 더 사이좋게 지낼 걸 그랬다. 우현이에게 조금 더 신경 쓸 걸 그랬다. 내가 사과 할 걸 그랬다.

덜덜 떨리는 다리로 힘겹게 3층까지 올라갔다. 너무 후들후들 떨렸다. 숨이 멈출 것 같았다. 저번에 꿨던 꿈과 상황이 똑같다. 말도 안 된다 이건. 이건 꿈이다. 꿈일 거야. 문에 기대어 간신히 숨을 쉬었다. 호흡곤란이 올 거 같다. 손과 다리가 덜덜 떨리고 호흡하기 힘들었다. 예전에 우현이가 내게 줬던 진통제를 보니 가슴이 너무도 쓰라려서 고통스러웠다. 그가 마지막으로 내게 남겨둔 게 고작 저 진통제 하나뿐이라니. 좀 더 사이좋게 지낼걸. 눈물이 계속해서 나왔다. 우현이가 죽었다는 게 믿기지 않는다. 우현이가 죽었다니, 나만 보면 활짝 웃어주던 우현이가 보고 싶다. 있을 때 잘할 걸 그랬다.

그렇게 한참을 울었다. 울고 또 울었다. 평생을 나의 옆에서 환히 웃어줄 줄 알았던 그 아이의 죽음은 믿을 수 없었다. 주현아의 시체는 더욱더 끔찍했다. 장기들이 모두 배 밖으로 튀어나온 채 죽은 주현아의 표정은 너무도 끔찍했다. 계속해서 떠오르는 시체의 모습에 구역질 났다. 그만, 그만 고통스러워지고 싶다. 그저 행복만을 바랐는데. 보름달이 떴던, 그날 나는 행복하게 해달라고 빌었다. 근데 어째서 일이 이렇게 꼬여버린 걸까.

71.

"현규야, 밖에 나갈 수 있겠어? 시체는 전부 내가 치웠어."

"아… 응."

오늘은 그와 같이 순찰을 나가기로 한 날이었다. 다들 유지운과 함께 나간 후 사라져서 조금 걱정됐지만, 약속은 약속이니 함께 나가기로 했다.

유지운 그가 얼마나 깨끗하게 청소한 것인지 입구에는 아무런 핏자국도 남아있지 않았다. 미세한 피비린내는 역할 정도는 아니었다. 밖에선 비가 내렸다. 모든 게 씻겨 내려가는 것 같았다. 우산을 쓰진 않았다. 우산에 튕기는 빗소리에 혹여나 좀비가 반응할까 봐 그랬다. 우현이와 비를 맞던 때가 떠오른다. 그에게 무관심했던 과거의 내가 밉다.

그와 오늘은 폐 연구소로 보이는 곳에 가보기로 했다. 그런 곳에 가도 되는지는 모르겠지만 일단은 그를 따르기로 했다. 눈앞에 다다른 폐 연구소는 거대한 규모였다. 생각보다 커다란 규모에 압도당했다.

그 연구소는 카드키 입장이어서 내가 당황하고 있을 때 그는 당당하게 카드를 꺼내 문에 찍었다.

"들어와." 그가 덤덤하게 말했다.

"어, 어…."

그가 내민 손을 잡고 그 연구소 안으로 들어갔다. 폐 연구소라고 하기엔 꽤 쾌적했다. 며칠 전까지만 해도 사용되던 곳 같다. 들어가자마자 화학 약품 냄새 때문에 머리가 지끈거렸다.

"마스크 껴."

마스크를 건네받은 나는 얼굴에 마스크를 착용했다. 큰 차이는 없지만 아까보다 나아졌다. 화학 약품 냄새가 너무나도 심하게 나 머리가 지끈거렸다. 아, 이 냄새 형한테서 나던 냄새와 똑같다.

"여기서 잠시만 기다려."

그렇게 말하곤 그는 어느 방 안으로 들어갔다. 방문을 열자마자 뿌연 연기가 흘러나왔다. 얼마 뒤 그는 주사기와 어느 약물을 들고 나왔다. 내게 주사를 놓으려는 셈은 아니겠지? 난 형을 믿는다.

"이게 뭔지 알아?" 그가 내게 물었다.

"아니? 뭐야?"

"좀비 바이러스 백신이야." 그가 눈웃음을 지으며 말했다.

"뭐, 뭐? 그걸 어떻게 만든 거야? 어디 나갔다 오던 게 이거 때문이야?"

"응. 이걸로 너랑 나는 이 도시를 탈출해서 살아남을 수 있어. 해외에 가서 심장이식 수술을 받자. 내가 치료비는 보태줄게. 아니, 내가 전부 내줄게."

"그것보다는 형, 백신을 어떻게 만든 건데? 좀비 바이러스 항체가 있어야 하는 거 아니야? 그걸 얻는 게 가능해?"

"가능은 했어. 힘들었지만. 맞다. 솔직하게 말하고 싶은 게 있는데 화내지 말아줘."

"뭔데? 화 안 낼게. 나는 형한테 화 안 내."

"그래? 고맙네. 긴장된다. 이 말은 아무에게도 하지 않았거든.

사실, 좀비 바이러스 내가 만든 거야."

"장난도 참 시시하다 형. 그걸 어떻게 믿어."

"진짜야. 기억 안 나? 내가 연구 했다고 한 것들 모두 좀비 바이러스야. 그래서 좀비의 속성도 전부 알고 있는 거야. 좀비 바이러스를 퍼트릴 생각은 없었어. 좀비 바이러스가 퍼진 건 나를 시기질투한 한 연구원이 몰래 만져버리곤 좀비가 돼버린 거야. 그래서 퍼진 거야. 그니까 나를 미워하진 마."

"아니, 그걸 믿으라고 하는 소리야? 진짜 재밌네."

"진짠데. 네가 충격받을까 봐 안 보여줬는데, 네가 안 믿으니 어쩔 수 없지. 내 연구 일지 보여줄게."

그리곤 그가 캐비닛 같은 걸 열더니 그 안에서 노란 노트를 꺼냈다. 그 노트는 살짝만 봐도 빼곡히 글씨가 쓰여 있는 걸 알 수 있었다. 이건 장난이 아닌 거 같다. 원래 장난을 잘 치지 않는 성격인 걸 알면서도 믿을 수 없었다. 현실 부정이다.

"자, 이것 봐. '20xx년 3월 13일, 좀비 바이러스 발명에 성공. 실험 쥐 12마리 중 12마리 모두 감염 확인. 실험용 고양이 5마리 중 5마리 모두 감염 확인. 실험에 사용된 동물들은 모두 소리에 반응하며 심장을 갉아 먹음.' '20xx년 3월 15일, 감염된 개체와 감염되지 않은 개체를 한 케이지에 넣었을 때 감염된 개체가 굶주렸을 시, 감염되지 않은 개체의 심장을 갉아 먹음. 감염된 개체가 충분한 식사를 한 후엔 감염되지 않은 개체의 신체 일부분을 물어 감염시킴.'" 그가 노트를 읽어냈다.

아아……… 뒤통수가 얼얼하다. 뒤통수를 맞은 듯이 놀랐다. 형이 그러지 않을 거라 믿어왔는데, 아아………. 전부 꿈만 같다. 긍정적인 쪽이 아니다. 왜, 무슨 이유로 바이러스를 만든 걸까.

"이건 보여줄까 말까 고민했는데 너를 위해 실험한 거야. '20xx년 9월 22일, 실험용 쥐 공급이 끊겨 강세연의 시체로 백신 실험을 진행했다. 좀비 바이러스를 주입해도 시체는 미동조차 없었다. 실패다.' '20xx년 10월 19일, 서찬원에게 1차 좀비 바이러스 백신 투여. 토혈과 함께 몸의 구멍이란 구멍에서 피가 나오며 실패.' '20xx년 10월 26일, 반채희에게 2차 좀비 바이러스 백신 투여. 발작을 일으키다 사망.' '20xx년 11월 9일, 죽은 전우현의 시체에 3차 좀비 바이러스 백신 투여. 좀비가 된 상태이고 목이 잘려 나간 상태여서 확인 불가. 실패.' '20xx년 11월 10일, 자신에게 4차 백신 투여. 완벽한 성공이다.'"

믿을 수 없는 내용뿐이었다. 그가 거짓으로 쓴 것이라 믿고 싶었다. 바로 어제까지 실험한 게 믿기지 않는다. 하하, 재밌다 재밌어. 모든 것이 꿈이지? 우현이가 죽은 것도 꿈이지? 하하하 재밌네. 이젠 어서 깨어나고 싶어.

"자 이제 이 백신을 놓으면 너는 좀비에게 물려도 좀비가 되지 않을 거야. 팔 좀 내밀어볼래?"

"싫어! 난 다른 사람들을 그렇게 희생시키면서까지 내가 살고 싶지는 않아! 이걸 맞을 바엔 밖에 나가서 좀비에게 물리거나 심장을 빼앗겨버릴 거야!" 그를 향해 소리쳤다.

"너도 이해가 안 되네. 너는 날 이해해줄 줄 알았어. 강세연 누나 말고는 나를 이해해줄 사람은 없구나. 현규야, 민현규. 현실을 생각해. 다 죽어 나가는 이 마당에 우리라도 살아남아야지."

"형이 다 죽여버린 거겠지. 나 만지지 마! 나 나가서 죽을 거야."

나의 몸에 손대려는 그를 뿌리쳤다. 그의 표정은 차가웠다. 표정의 변화는 없었다.

"나가려고? 근데, 여긴 나가려면 카드 필요한데?"

"거짓말, 출구에는 카드 찍는 곳이 없잖아."

"현규야, 네가 다녀보지도 않은 이 연구소를 뭘 알아. 난 여기만 4년 넘게 다니고 있어. 네가 알지 못하는 것들은 난 당연히 알고 있다고. 여기는 출구에도 카드키 찍어야 해. 자, 현규야. 맘 편히 먹고 주사 한 번만 맞으면 돼. 나는 어제 맞아서 괜찮아. 팔 뻗어봐."

"싫어! 형 같은 사람이랑 연애하다니! 미친 짓이었어."

심장이 화끈거렸다. 아침에 심장병약을 먹지 못한 게 떠올랐다. 아아 이러다간 또 과호흡이 올 것이다. 표정이 무너졌다. 숨 쉬는 게 평소보다 버거웠다. 손이 점점 차가워지는 게 느껴졌다. 유지운의 형태가 흐릿하게 보였다. 눈앞이 잘 안 보인다. 죽음이 다가온 것임을 난 확실히 알 수 있었다. 귓가에서 우현이가 나를 부르는 소리가 울렸다. 도저히 서서 버틸 수 없었다.

"왜 그래? 어디 아파?"

"약."

약이라는 말 밖에 나오지 않았다. 심장이 아프다. 머리가 깨질 듯이 아팠다. 유지운의 얼굴이 아예 보이지 않을 정도가 되었다.

토 나올 것 같이 속이 울렁거렸다.

"현규 형."

우현이의 목소리가 들렸다. 유지운의 옆에 서서 나를 슬픈 눈으로 바라보았다. 유지운의 얼굴은 뭉개져 보이지 않았지만, 우현이의 얼굴만은 또렷이 잘 보였다. 우현이가 내게로 손을 뻗었다. 목에는 꿰맨 듯한 흉터가 남아있었다. 그가 내민 손에 나의 손을 올렸다.

72.

　민현규가 죽었다. 심장병약을 안 먹은 게 화근이었나보다. 어쩔
수 없지. 인간의 수명은 언제나 끝이 정해져 있는 법이다. 나는 그
가 쓰고 있던 안경을 챙겨 밖으로 향했다. 민현규가 보던 세상은
이랬구나. 그의 안경을 써 좀비들의 몰골을 구경했다. 시력이 맞지
않아 눈앞이 핑 돌았다.

　심장이 컥 막히는 느낌이 들었다. 모든 혈관의 피가 엇도는 느
낌이었다. 숨이 쉬어지지 않는다. 아 뭐가 문제지? 뭐가 문젠지 모
르겠다. 어제 맞았던 백신은 완벽했다. 완벽한 백신이었는데, 왜?
왜 이렇게 몸이 아픈 거야?

　"지운이 형."

　죽었을 민현규의 목소리가 들렸다. 아니, 서찬원인가?

　"이게 형의 정해진 수명이야."

　서찬원이 나의 귓가에 속삭였다. 앞이 흐려질수록 걸음이 느려
졌다. 귀에서 삐—하고 이명 소리가 들렸다. 심장 박동이 빨라져 나
의 몸 온 곳에서 울렸다. 바닥에 쓰러졌다. 걸을 수 있을 만큼의
근육이 남지 않은 듯했다. 좀비들이 내게로 달려왔다. 해가 지기
시작했다. 좀비들이 가장 허기진 시간이다. 그들은 나의 팔과 다리
모든 곳을 뜯어먹었다. 고통이 느껴지지 않았다. 아, 죽는구나. 결
국, 모두가 죽었구나. 나 혼자만이 남았구나.